ようこそパリの子ども部屋

パリのアーティストたちのアトリエを訪ねた私たちは
『ようこそパリのアトリエへ』という1冊の本をまとめました。
アトリエには、そこにあるものひとつひとつに
クリエーションのストーリーがあります。
アイデアいっぱいのアーティストたちと出会ううちに、
いつしか彼らのちいさなころにも興味を持つようになりました。

あるとき、アーティストが子ども部屋を案内してくれました。
そこには、パパやママが手作りしたインテリアに
ほこらしげに飾られた、ほほえましい工作やお絵描きの数々、
ちいさな空間はすでに家族のクリエーションで満たされていました。
そして、パリの子どもたちがそれぞれ個性的なように
お部屋もひとつとして同じものはありませんでした。

子ども部屋を見るだけで、いろいろなことが分かります。
子どもたちがいま興味を持っていること、
大好きなおもちゃや絵本、ぬいぐるみにお洋服
そしてパパとママに、どんなに愛されているのか……

子どもたちは、みんなちいさなアーティスト、
そして子ども部屋は、ちいさなアーティストたちのアトリエなのです。

ジュウ・ドゥ・ポゥム

CHAMBRES D'ENFANTS À PARIS

006　Esther et Olympe　エステル & オランプ　ハッピーカラーの階段でつながった楽しいお家

012　Zoé　ゾエ　ポエティックな色たちがかなでるハーモニー

017　Rose　ローズ　手作りのおくりものが並んだ、お日さま色のお部屋

022　Siméon et Léonard　シメオン & レオナール　さわやかなブルーグリーンと水玉のお部屋

028　Maya　マヤ　お家の中もお庭も、のびのび自由なプレイルーム

032　Chine　シン　お部屋はおおきなピンナップボード

035　Zéphir　ゼフィール　いつも元気いっぱいのカウボーイのお部屋

038　Ella et Aaron　エラ & アーロン　ぶくぶくせっけんの泡と一緒に夢が広がるお部屋

044　Lily - Lune　リリー - リュンヌ　テントの中は大切な恋人たちのお家

047　Bulle　ビュル　テーブルいっぱい、大好きなお絵描き

050　Barnabé et Gustave　バルナベ & ギュスターヴ
　　　おだやかなカラーリングの森の中のちいさなお家

056　Alice, Louise et Jules　アリス, ルイーズ & ジュール　お日さまの近くでゆらゆらブランコ

062　Calista et Steilo　キャリスタ & ストゥリオ　お花の精と七色の虹のお部屋

066　Émile, Théo et Pablo　エミール、テオ & パブロ
　　　キッチュであざやかな色が集まるちいさな遠い国

070 Constance　コンスタンス　あまいお菓子のようにスウィートなお部屋

076 Noé　ノエ　ひとつひとつの貝がらに海の思い出

079 Suzanne et Zélie　スザンヌ & ゼリー　プチアーティストのふたりのためのアトリエ

082 Félix　フェリックス　お空に近いカラフルな積み木のお部屋

085 Mia　ミア　ママと一緒に選んだきれいなもの、かわいいもの

088 Violette et Fanny　ヴィオレット & ファニー　やさしい光に包まれるピンクとすみれ色

092 Loucie et Paul　ルーシー & ポール
リトル・プリンセスのピンクのお部屋とグリーンのちいさなアトリエ

096 Joséphine et Auguste　ジョゼフィーヌ & オーギュスト
ぼくとわたし、それぞれのためのお気に入りのスペース

100 Noé　ノエ　遠い国や古いものたちのおとぎ話が聞こえてきそう

103 Alice et Nina　アリス & ニナ　かわいいお友だちがいっぱいの不思議の国

107 Ugo　ユーゴ　さらさらと風の音が聞こえるジャングル

110 Léa　レア　ちょうちょが遊ぶパープルのお庭

114 Dinah et Maya　ディナ & マヤ　妖精の国のふたりのプリンセス

122 nos boutiques préférées　ショップリスト

124 nos livres préférés　わたしたちのお気に入りの絵本

Un univers pop vitaminé et plein de place pour s'amuser

ハッピーカラーの階段でつながった楽しいお家

Esther et Olympe

エステール：4 ans / fille　オランプ：1 an / fille
maman : Caroline Halusiak / graphiste et styliste

エステールとオランプの背の高いお家の中には
オレンジのおおきな階段と
あざやかなピンクのらせん階段。
それぞれのフロアをつなぐ
きれいな色の階段がこの家の主役。
1階にある子ども部屋ももちろん好きだけど
お友だちが遊びにきていないときは
リビングルームでパパとママと一緒に遊ぶのが
エステールのお気に入り。
オランプのためにママがリメイクした
ゆらゆらゆれるピンクのゆりかごや
エステールのお絵描きのためのちいさな机もある。
今日もエステールとオランプの楽しそうな笑い声が
家のあちこちで聞こえてくる……

右上：ママが家の近くのビュットショーモン公園で拾った木の枝で描いた、エステールとオランプの名前。自然に生まれてきたラインをいかしたグラフィックが素敵。 右中上：ママのブランド「アー・ケルプレジール」のイヌイット人形。1体1体お洋服や大きさも違う人形は、家族や兄弟、お友だちといろいろな役柄にしてお話を作りながら遊べるので、エステールもお気に入り。

ハンドメイドが得意なママ。エステールのベッドは、イケアで購入したシンプルなベッドを、きれいなブルーにペイント。おもちゃをお片付けする大きなスーツケースも淡いパープルにペイントしなおしたり、通りで拾った人形用のベビーカーも、シルクスクリーンでチェックの模様をシートにプリントしたり、ママの手で生まれ変わった。チャリティで購入したドレスは、クローゼットにしまっておくのはもったいないくらいきれいなので、ガラスの仕切り壁にテープでラフに留めてディスプレイ。

Esther et Olympe

天気のいい日には、ピクニックやお散歩にパリジャンたちが集まる、ビュットショーモン公園のそばにあるエステールとオランプの家。天井の高い広々とした倉庫をリフォームして、1階には子ども部屋、2階がリビングルーム、3階がグラフィックデザイナーのママ、キャロリーヌのアトリエという3階建てのロフトに生まれ変わった。玄関をはいってすぐの場所にすべり台とババールがプリントされたキャンバス地のテントがあって、ふたりのお友だちも大喜びの遊び場になっている。上のフロアへ続くオレンジの階段の後ろがエステールとオランプのお部屋。パパのチボーとママは50年代から70年代のインテリアが好きで、ベルギーやパリで掘り出し物を見つけるのが楽しみ。子ども部屋にも、レトロなおもちゃがたくさん。

Une chambre délicate comme un poème
ポエティックな色たちがかなでるハーモニー

Zoé

ゾエ：9 ans / fille　maman：Domitille Brion / styliste de Bonpoint et Bonton

パレットの中でいろんな絵の具をまぜて
生まれてきた繊細な色たちのハーモニーが
聴こえてきそうなゾエのお部屋。
壁はやわらかいニュアンスを持ったトルコブルー
本棚や洋服だんすは、すこしくすんだ黄緑色
パープルに水色の水玉模様が広がるナイトテーブル
そしてデスクだけは目の覚めるような深い赤
ゾエが自分で好きな色を選んで
ママが組み合わせを考えたお部屋は
色だけでもイマジネーションが広がる世界。
それからもうひとつ、ゾエのリクエストは
プリンセスが眠るような天蓋つきのベッド。
あわいグレーのチュールを天井から垂らして
ゾエの夢のお部屋のできあがり

黄緑色の洋服だんすの中は、ショッピングが大好きなゾエのかわいいお洋服でいっぱい。「ボントン」や「ボンポワン」、そして「ゼフ」がお気に入りのショップで、ママを誘って一緒によくでかける。デザイナーになりたいというゾエのために、いつもモデルになってくれるのが、ちいさなイスに座った真っ赤なクマのぬいぐるみ。

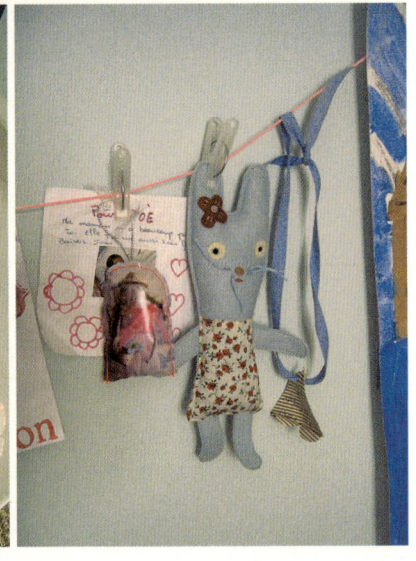

おしゃれな女の子、ゾエの夢を叶えた素敵なお部屋。ママのドミティユは子どものためのセレクトショップ「ボントン」や「ボンポワン」のコレクションをデザインしているので、色合わせにはとても敏感。ゾエの好きな色を、ママは微妙なさじ加減で組み合わせて、ポエティックな色の世界をつむぎだした。ゾエも刺激されて、学校や装飾美術館のワークショップで、ねんどを使った彫刻を作るのに夢中。ファッションにも興味津々で、お家のある左岸のショップをよく知っているゾエ。おすすめを聞くとファッションだけでなく、インテリアなら「セントゥー・ギャラリー」、掘り出し物が見つかる「エテロクリット」、子ども用の本の品揃えがいい「レキューム・デ・ジュール」とあちこち教えてくれた。

Une chambre de poche à rallonge, remplie de cadeaux fait-maison

手作りのおくりものが並んだ、お日さま色のお部屋

Rose

ローズ：2 ans / fille　maman : Karine Boccard / créatrice textile

ローズのお部屋を明るく照らしてくれる
お日さまのようにあたたかなイエロー。
ママが作ったクマやペンギンのぬいぐるみ
おばあちゃんからはベッドマットやクッション
ひいおばあちゃんも使っていた大きなチェストは
ママがきれいな水色にペイントしてくれた。
手作りのおくりものがいっぱいのローズのお部屋。
おままごとが大好きなローズ
リビングルームと子供部屋の境は
おもちゃのキッチンコーナー。
おばあちゃんが作ってくれたエプロンをつけた
ローズが今日はママになって
ぬいぐるみさんたちに、おいしいおやつの準備中！

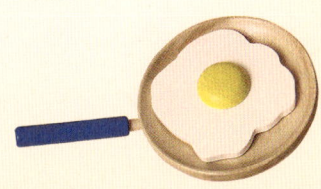

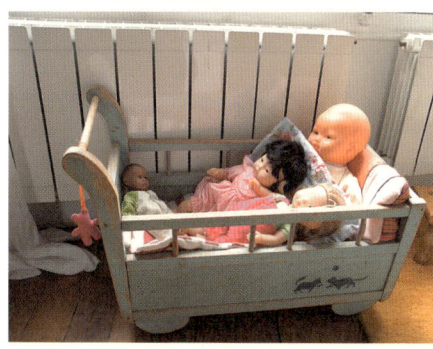

<u>左ページ</u>：天井近くに取り付けた飾り棚には、ママとパパのお友だちから贈られた手作りのプレゼントやローズのお気に入りのおもちゃがずらり。ローズのベッドの枕元にかけられた、絵本からのワンシーンのようなカラスとキツネのタペストリー。ローズが生まれる前に、パパとママが住んでいたアフリカのベナンから持ち帰った思い出の品。

19

Rose

ローズのお部屋は、リビングルームのすぐとなりにある縦に細長いスペース。ローズが楽しそうに遊んでいる様子やベッドですやすやと、やすんでいる姿を見守ることができるように、リビングとの間には白いフレームの窓がついている。お部屋を見渡すと、おもちゃやオブジェ、ベッドまわりのファブリックなど手作りのものがたくさん。テキスタイルデザイナーのママ、カリンヌや建築家のパパ、ジェローム、ふたりのおばあちゃん、そしてママとパパの友人からのおくりものが、いつもローズのそばにある。お部屋はまるでたくさんの人たちの愛情に包まれているかのよう。

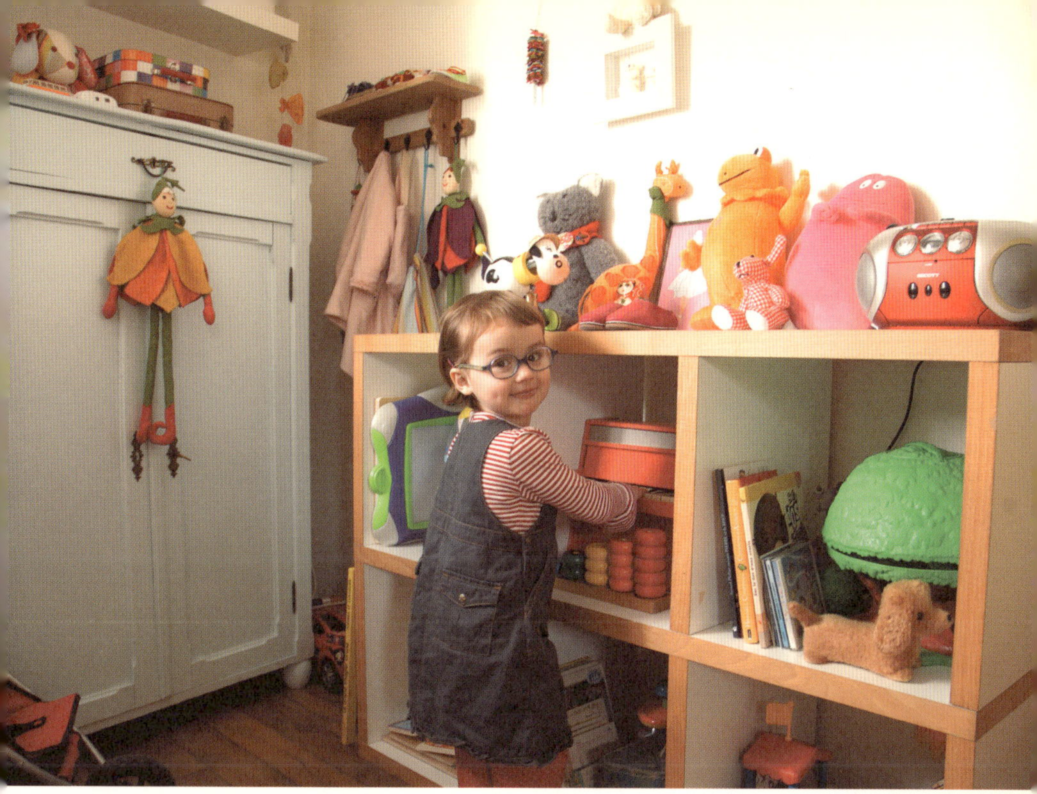

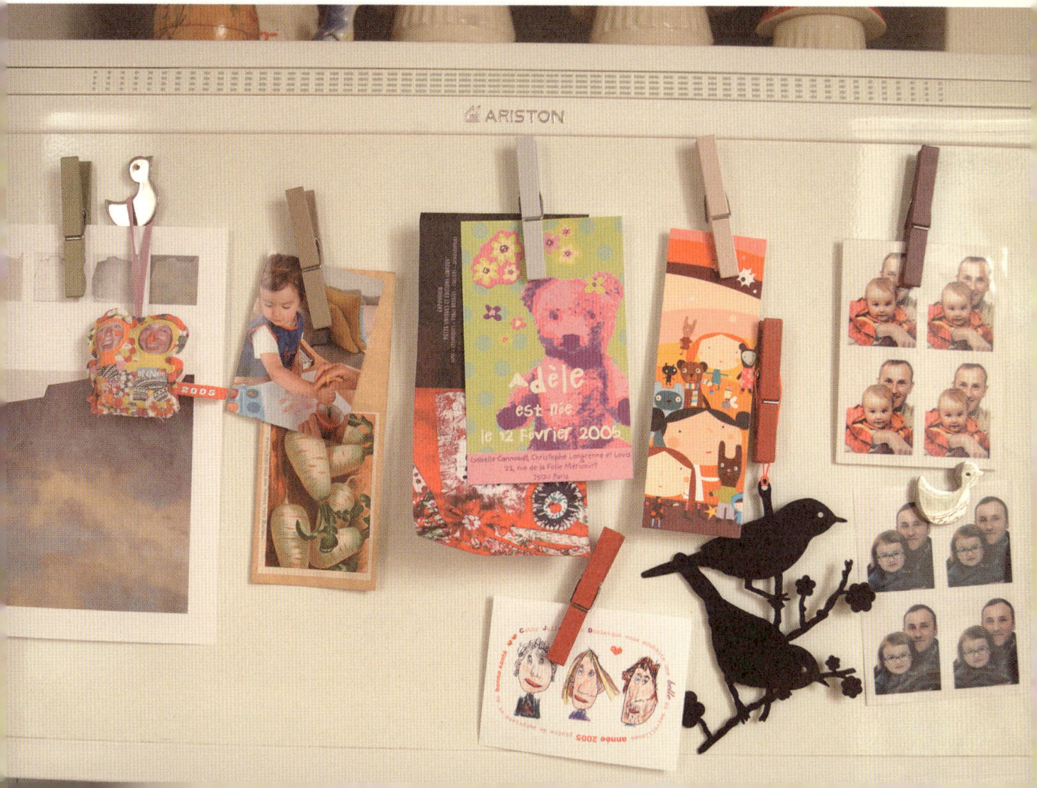
ARISTON
2005
Adèle
est née
le 12 Février 2005

Harmonie colorée et jouets bien rangés
pour un garçon organisé

さわやかなブルーグリーンと水玉のお部屋

Siméon et **L**éonard

シメオン : 2 ans / garçon　レオナール : 4 ans / garçon　maman : Delphine Ledoux / designer

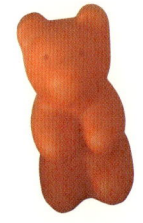

シメオンとレオナールは仲よしの兄弟
ふたりのお部屋は、どちらもブルーやグリーンをベースに
あざやかな赤がポイントになったカラフルなお部屋。
弟のシメオンのお部屋のおおきなチェストは
もともと通りで見つけた50年代の食器棚。
ママがグリーンと赤にペイントしなおして、
おしゃれなシメオンの洋服をたっぷり収納できるチェストに。
サッカーのメダルやポケモンのコレクション、
スターウォーズのレゴ、大好きなものを上手にディスプレイした
お兄ちゃんのレオナールのお部屋は
レオナールがママと一緒に作っていった空間。
モザイクになった床の色のバランスや
壁にはったポスターや絵、写真のレイアウト
ビデオゲームやCDを整理する棚もレオナールのアイデア。

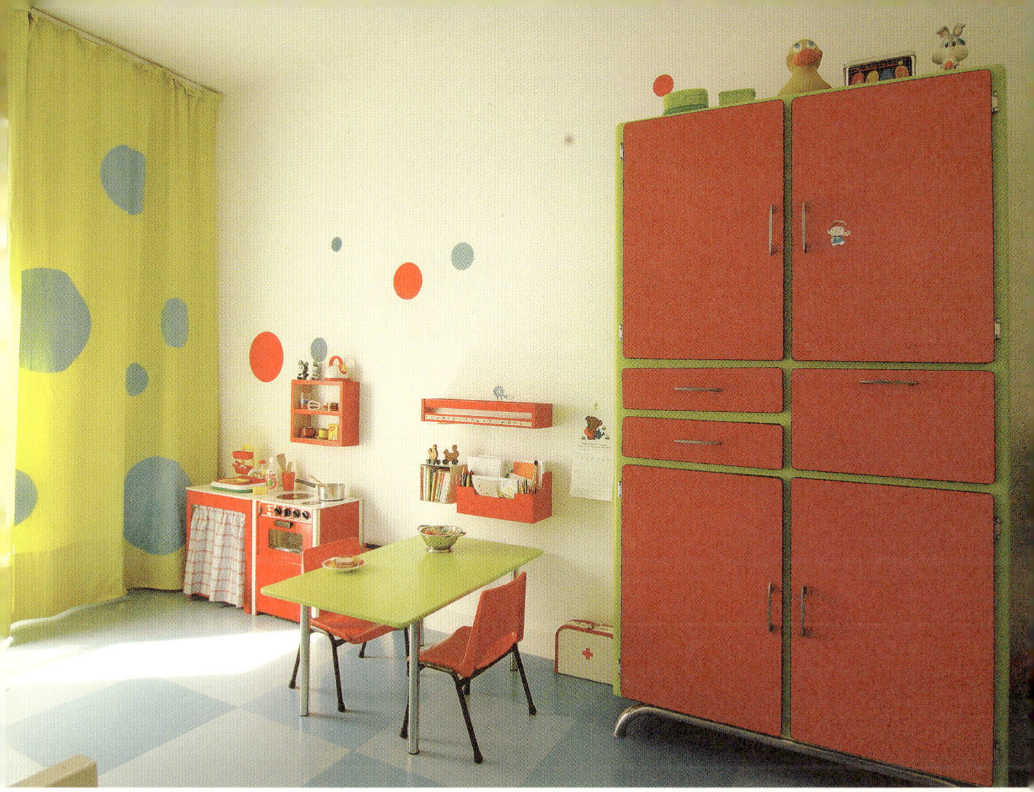

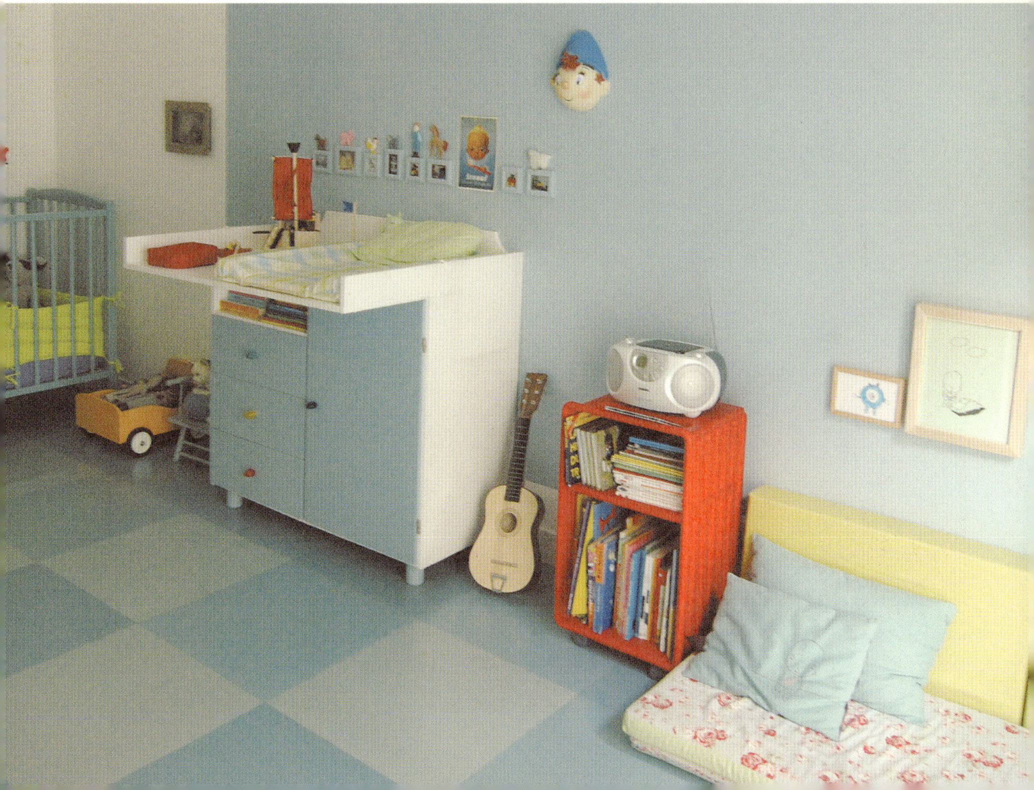

部屋のあちこちに置かれたクッションは、パパがシメオンとレオナールをモデルにデッサンして、その絵をもとにママが刺しゅうしたもの。なんともいえない愛らしい表情のふたりにそっくり。窓のそばに置いた、まっ赤なおままごとキッチンは、シメオンのお気に入りのおもちゃ。ここでコーヒーをいれるのが大好き。ママがキッチン道具をいろいろと揃えてくれたので、何時間もおままごとに夢中になっている。

パパのニコラとママのデルフィーヌは、それぞれデザイナーとアーティストとして活躍しながら、デザインユニット「ダデュル」として、ふたりでユニークなファブリック小物をクリエーションしている。となりあわせになっているレオナールとシメオンの部屋は、どちらもモダンな空間。弟のシメオンの部屋は水玉模様が印象的。やさしい光が入ってくるママの手作りカーテンは、ステッチで水玉模様にしたベールのカーテンと、イエローの生地に水色の水玉をアップリケしたコットンのカーテン。水玉のイメージは壁面にも続いていて、ポップだけれど、子どもっぽくなりすぎない色のバランスがフレッシュなお部屋。

Siméon

レオナールのアイデアとママの手作りで作り上げられているレオナールのお部屋。レイアウトやひとつひとつの家具もとてもよくできているので、パパはいつもびっくりしているのだそう。勉強のためのデスクもママの手作り。通りで見つけた机は一度バラバラにして、大きめの天板や引き出しを付けて、カラフルに仕上げた。あわせて学校用のイスもパイプの色をきれいなグリーンにペイント。レオナールのお部屋は整とんが行き届いていて、感心してしまう。ちいさなポケモンのフィギュア・コレクションは「アビタ」で購入して、ベッドの脇に取り付けた細長い飾り棚に。クリスマスのおくりもののスターウォーズのレゴも、机の上に取り付けた黒い整理ボックスの上に気持ちよく並んでいて、好きなおもちゃを大切にしているのがよく分かる。

Léonard

Une chambre comme une scène de théâtre, pour l'espiègle Maya

お家の中もお庭も、のびのび自由なプレイルーム

Maya

マヤ : 4 ans / fille　maman : Sophie Deiss / réalisateur

お日さまにこにこ、まぶしい朝になると
パステルカラーのバラのカーテンを開けて
マヤの元気な一日のはじまり。
お部屋から1段あがったお芝居の舞台のような
ちいさなスペースがマヤのベッドルーム。
そしてお家の中はどこでも、
おしゃまなマヤのプレイルーム。
リビングルームでダンスをしたり
おおきなダイニングテーブルで
お絵描きしたり、ゲームしたり。
そして緑いっぱいの中庭も
お花や植物が好きなマヤの
ガーデニング遊びの場所。
仕切りのないワンルームのお家の中で
のびのびと自由に遊んで、いつもにこにこ。

Maya

マヤのお家は、シンプルですっきりしたものが好きという、ママのソフィーとパパのジャン-クリストフらしい空間。ちいさなお部屋はベッドルームとして使い、リビングルームでのびのびと遊んでいるマヤ。ママとパパは「ソー&ソー」というデザインユニットを組んでいて、イラストレーターのパパの描いたキャラクターをもとに、コミックやいろんな雑貨を作っている。マヤの身の回りにはママとパパのクリエーションがたくさん。マヤがつけているブレスレットのチャームは、ウォーターボーイとクローというキャラクター。そのほかにも目がきょろきょろ動くピンクのビニール人形やパイル地でできたハート型人形も、マヤの楽しい遊び仲間。

Pour Chine, une chambre rouge et noir laqué, comme un hommage à son prénom

お部屋はおおきなピンナップボード

Chine

シン : 6 ans / fille
maman : Clarisse Le Friant / créatrice de Velvet Chic

マットな黒にペイントされた壁が
シンのためのおおきなピンナップボード。
のみの市で見つけたポストカードラックには
シンのセレクトしたお気に入りの写真とカードがずらり。
ノルマンディで出会った木のデスクの前には
シンの好きな映画「ロシュフォールの恋人たち」の
ポストカードを中心に、いろんな写真をならべて。
シックな黒に、カラフルなイメージが映えてきれいでしょ？
真っ赤な壁面の上には、パパからのおみやげのスヌーピーや
ちいさな人形などのお気に入りのマスコットたち。
ブルーのカーペットにポップなミニシャンデリア
ヴィヴィッドカラーが加わった
シンのためのゴージャスな子ども部屋

22
PLANISPHÈRE
UNION FRANÇAISE
Europe
Asie
Afrique
Amérique du Sud
Océanie
OCEAN
PACIFIQUE
ATLANTIQUE
LE GLOBE
LES MERS
L'EUROPE
L'UNION FRANÇAISE
17

Chine

MilK
Se jouer de Noël

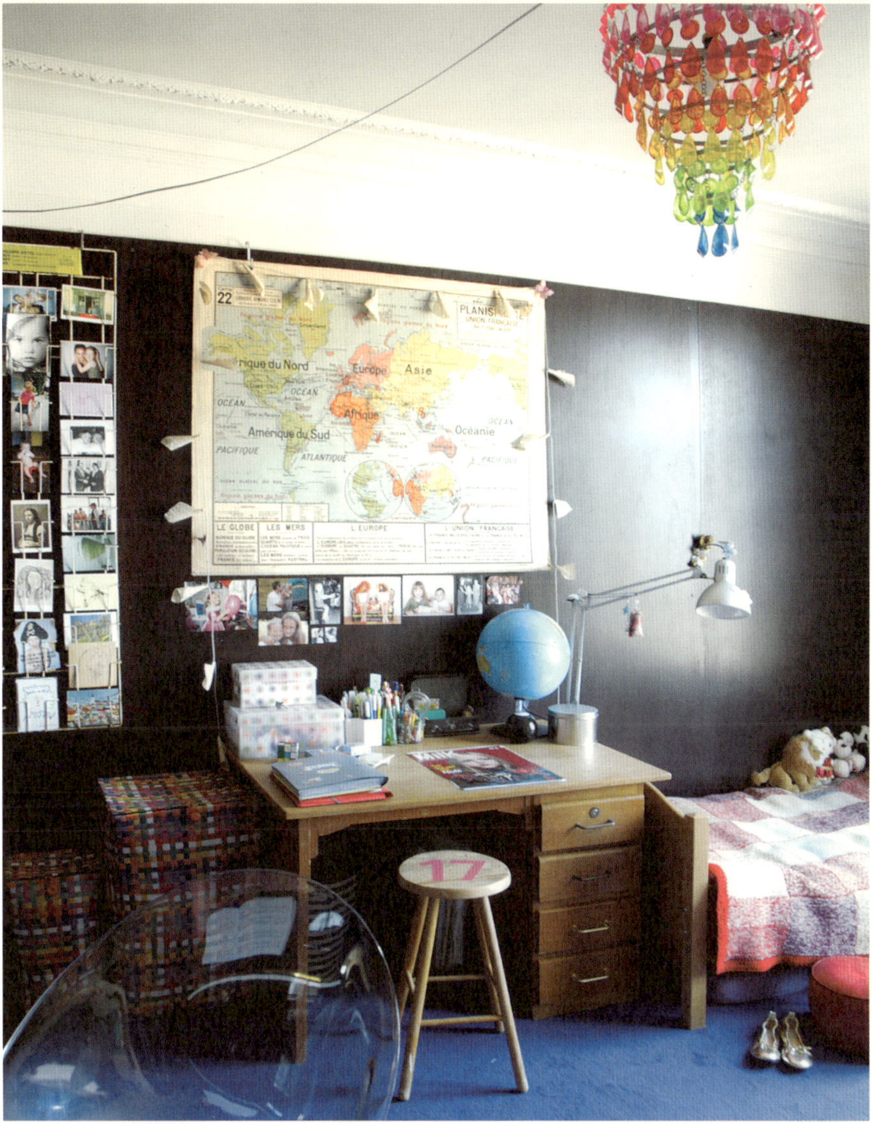

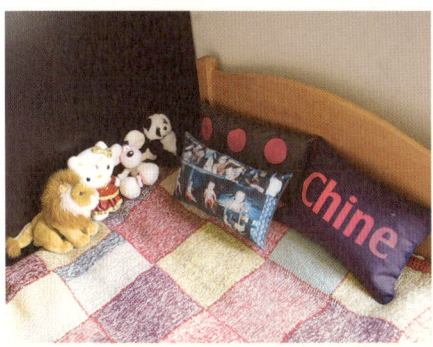

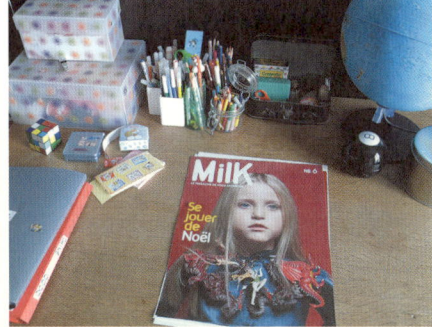

人気のちいさなブティックが集まり、いつもにぎやかなサンポール地区にあるシンのお家。もともと建築家のアトリエとして使われていたアパルトマンは、白いままの壁と、うるし塗りのようなマットな黒と赤のコントラストが美しい。ママのクラリスは子どものためのテキスタイルデザイナー。シンの部屋にもカーテンなど、ママがデザインした「ベルベット・シック」のアイテムがたくさん。名前入りのビロードのクッションや写真をプリントしたクッションは、シンのためだけの特別なオリジナルアイテム。フランスの子どもファッション誌「Milk」で表紙モデルになったこともあるシン。メタリックなピンクの縁どりがかわいいバニティケースの中には、シンが大切にしているメイク道具がぎっしり。ふたを開けると、お気に入りの世界が広がって、シンのおしゃれにますます磨きがかかっている。

Une chambre pleine de soleil
pour un petit cow-boy intrépide

いつも元気いっぱいのカウボーイのお部屋

Zéphir

ゼフィール：2 ans / garçon　maman : Virginie Desmoulins / illustratrice

おもちゃのトラックに乗って
子ども部屋からリビングルーム、キッチンまで
かけまわるのが大好きなゼフィール。
引っ越したばかりの一軒家を
からだいっぱい楽しんでいる。
はじめて子ども部屋に入ったとき
ゼフィールはおおよろこび。
お庭に面して明るいお部屋の一面の壁に
カウボーイがたくさんいたから。
ひいおばあちゃんからプレゼントされたベッドや
ママが編んでくれたあみぐるみに
パパが作った赤い屋根のお家
ハンドメイドのおくりものが
ゼフィールをやさしく見守っている。

ママのヴィルジニーはイラストレーター。ベッドのそばに貼っている3枚のイラストはママが手がけた絵本の挿し絵。カラフルな手足の宇宙人のような不思議なぬいぐるみは、お裁縫も得意なママが手袋をアレンジして作ったもの。ゼフィールのいちばんお気に入りのおもちゃはひいおばあちゃんが作ってくれたパッチワークのボール。「メイド・バイ・マディ」のタグもきちんとつけられている。

Zéphir

アパルトマンから一軒家に引っ越してきて、まもないゼフィールたち家族。いまはお庭が花に包まれる、次の春の訪れを楽しみに待っている。ゼフィールのお部屋は、そのお庭に面した窓から太陽の光がたっぷりと入ってくる、気持ちのいい空間。ママのヴィルジニーは妊娠中に「キャス・キッドストン」のカウボーイ・プリントの壁紙を見て、もし男の子が生まれたら、これをお部屋に使おうと考えていたのだそう。フレームが美しいベッドはひいおばあちゃんからのおくりもの。のみの市で見つけたベッドをきれいに磨いて、ペイントしなおしてくれた。ひいおばあちゃんは子どもたちが生まれると、みんなにこのベッドをプレゼントしていて、なんと18台ものベッドを贈ったのだそう。

Fantaisie et bulle de savon

ぶくぶくせっけんの泡と一緒に夢が広がるお部屋

Ella et Aaron

エラ：9 ans / fille　アーロン：6 mois / garçon
maman : Dorothée Rubinski / responsable produits en mode enfantine

さんさんと天井から光が降りそそぐ
まん中には脚付きの白くて優雅なバスタブ
ここはバスルーム？
いえいえ、エラとアーロンのお部屋です。
両脇にはエラのベッドとアーロンのベッド
ピンクと水色にペイントされたチェストに
かわいがっているぬいぐるみたちもいっぱい。
ドアや壁を忘れてしまったの？と
ちょっと不思議で、びっくりしてしまうけれど
ママとパパのユニークなアイデアで
お部屋は広々、のびのびできる。
バスタイムも楽しくて、ふたりはにこにこ
水遊びだって、できるしね。

38

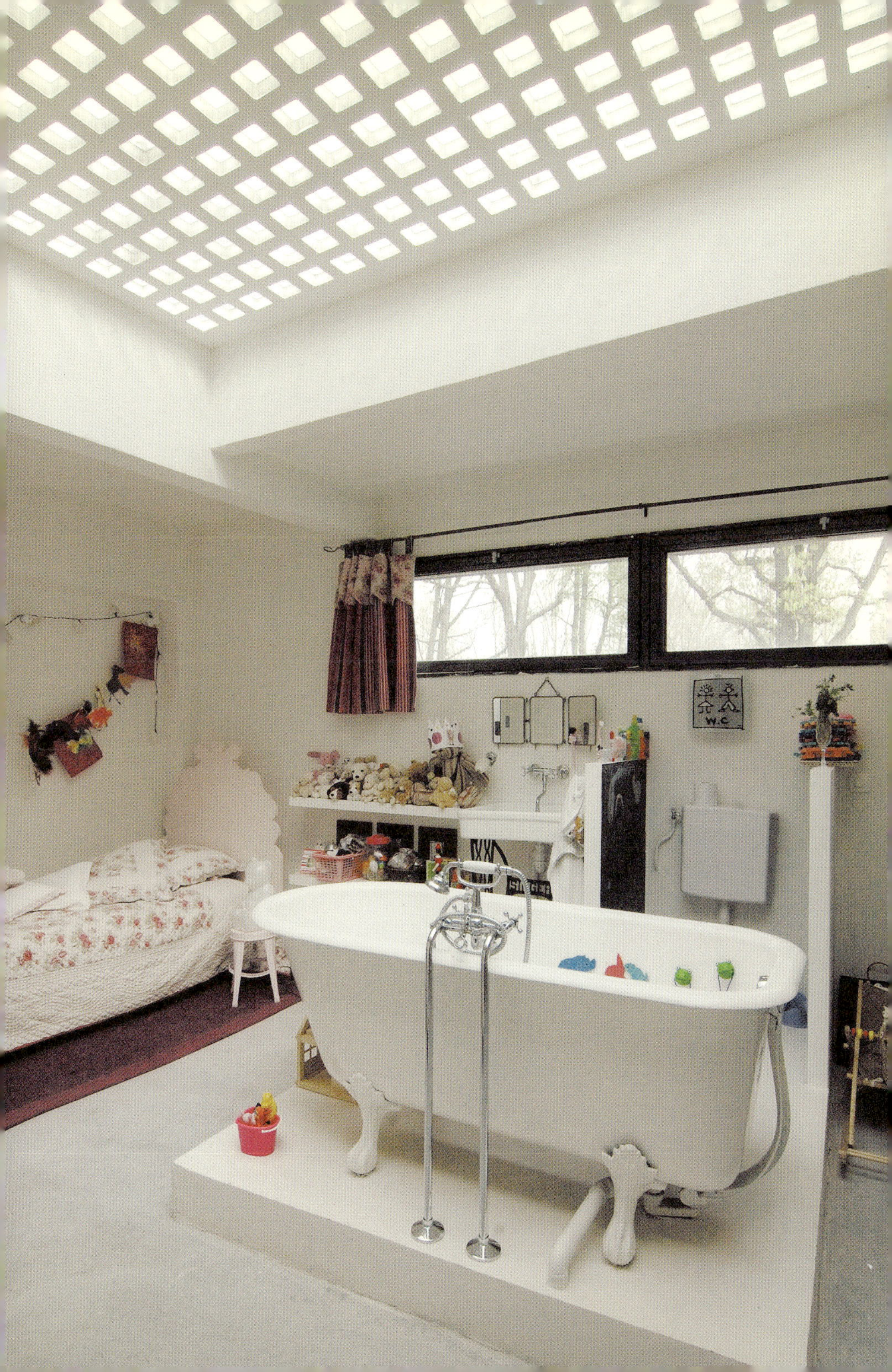
W.C

Ella et Aaron

ビスケット工場をリフォームした建物の1棟がエラとアーロンのお家。子ども服プロデューサーのママ、ドロテはひと部屋をエラとアーロンのお部屋、そして子どものためのバスルームにしようと考えた。でも、ひと部屋を3つに分けるとなると、ひとつひとつがとても狭くなってしまう……。こうしてたどりついたのが、バスタブをまん中に置いた子ども部屋。意外なアイデアにびっくりしてしまうけれど、バスタイムも楽しい子ども部屋にエラとアーロンは大満足。もちろん脚付きの素敵なバスタブ選びからお部屋づくりははじまった。古い足踏みミシンの上にアンティークの洗面台を取り付けたり、エラのベッドやストライプのカーテンを手作りしたり。すべてにひと手間かけられているインテリアは、ママの愛情たっぷり。

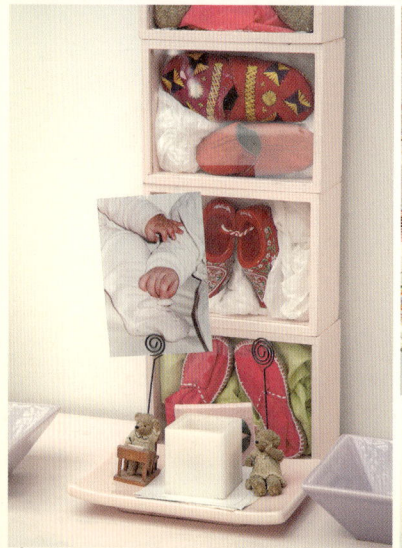

お洋服の入ったチェストの下には、かわいい靴がずらり。水色のチェストはアーロンのもの、エラのチェストはあわいピンクに。バスタブをはさんで、ふたりのスペースは色使いで分けられている。バスタブの奥にあるトイレを囲む仕切りの壁は黒板になっていて、チョークの落書きがほほえましい。

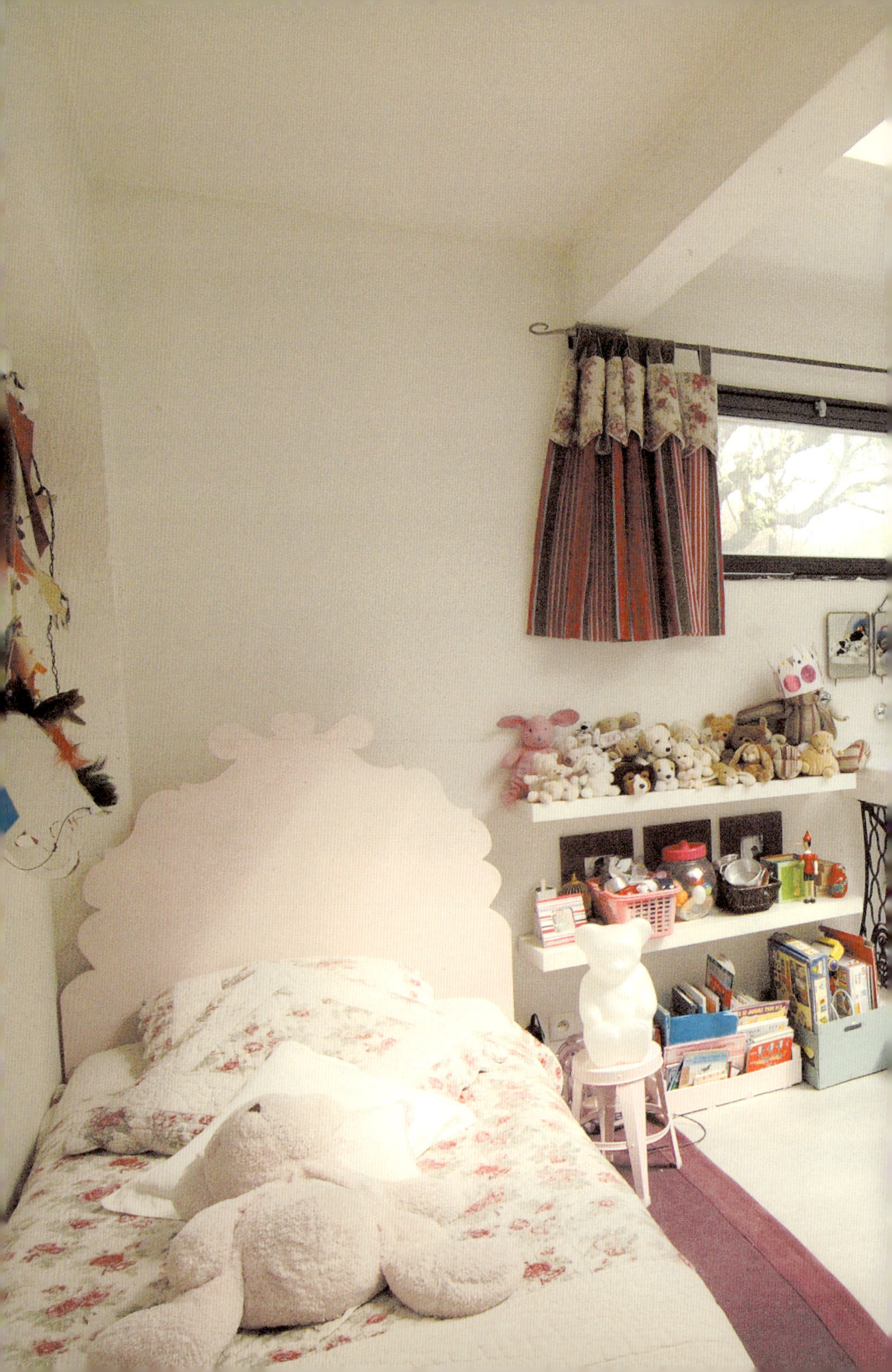

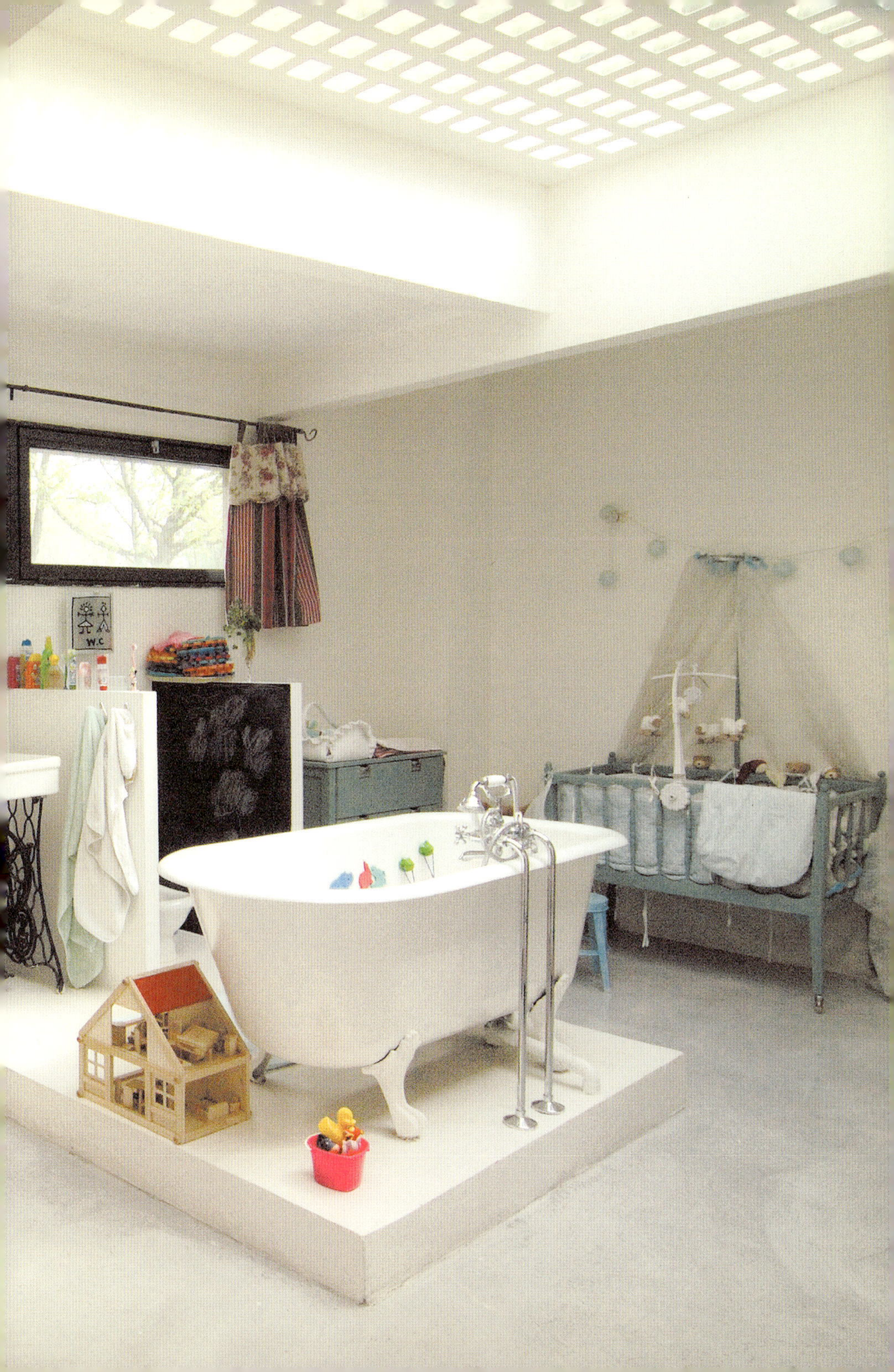
W.C

Les appartements de la reine Lily
une chambre et un boudoir

テントの中は大切な恋人たちのお家

Lily - Lune

リリー・リュンヌ : 3 ans / fille　maman : Servane Gaxotte / créatrice de bijoux

ボーダー模様の三角テントの中は
オレンジのクマさんやバーバパパにお人形さんなど
リリー・リュンヌの恋人たちのお家。
その中でもいちばんの恋人が、ちいさなおサルさんのパボン。
どうしてパボンという名前になったのかって？
リリー・リュンヌが顔の近くに
おサルさんを近づけて、くんくん……
「pas bon!（よくない、くさい）」と言ったからなのだそう！
お外へ行くときにもパボンと一緒のリリー・リュンヌ。
でもある日、外出先で行方不明に。
「パボンを探しています」とはり紙をしていたら
ある女の子が学校まで届けてくれた。
パボンと再会できて、リリー・リュンヌはおおよろこび。
それからというもの、いなくなったりしないように
細くて長いリボンをつけたパボンを
リリー・リュンヌはしっかり抱きしめている。

45

ベルヴィルにある静かな石畳のパッサージュに面したリリー・リュンヌのお家は、アクセサリーデザイナーのママ、セルヴァンヌのアトリエも兼ねている。リリー・リュンヌのお部屋には、おおきなベッドと恋人たちのお家になっている三角テントがある広々とした空間。さらに階段の下の奥まったちいさなスペースもリリー・リュンヌのための場所。ほどよい狭さのスペースにフラワーモチーフのマットレスを敷いて、リリー・リュンヌが宝物をたくさん持ち込んだ、カラフルで居心地のよい秘密基地になっている。でも星のカーテンがゆれるリビングルームで、ママと一緒に遊べる時間がいちばんのお気に入り。

Lily - Lune

Un espace-lounge sur mesure, au ras du sol

テーブルいっぱい、大好きなお絵描き

Bulle

ビュル：3 ans / fille　maman : Caroline Turquet / créatrice d'accessoires

おおきなテーブルの上いっぱいに
お絵描きができるビュルのお部屋。
ママとパパが使っていたローテーブルは
まだちいさなビュルには、ちょうどいい高さ。
いつも画用紙でママがテーブル全体を
おおってくれているから、ビュルも
スペースがなくなるまでお絵描きに夢中になれる。
ビュルのお気に入りのお洋服は
自分でイラストを描いたワンピース。
お友だちのバースデーにも
得意のお絵描きでTシャツを
アレンジしてプレゼントするつもり。
ビュルはこのお部屋で、お絵描きしたり
ママと一緒にビーズで遊んだりするのが大好き

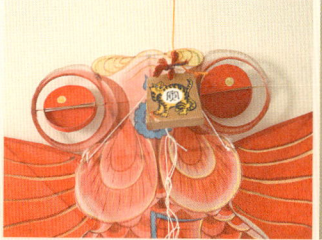

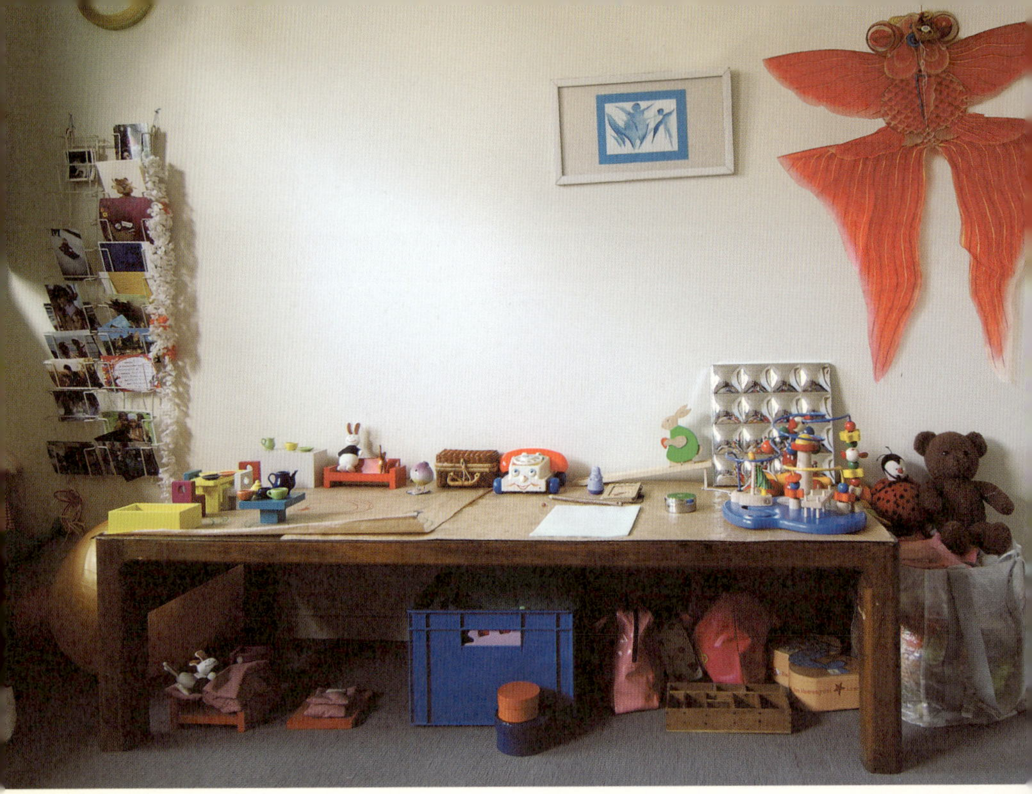

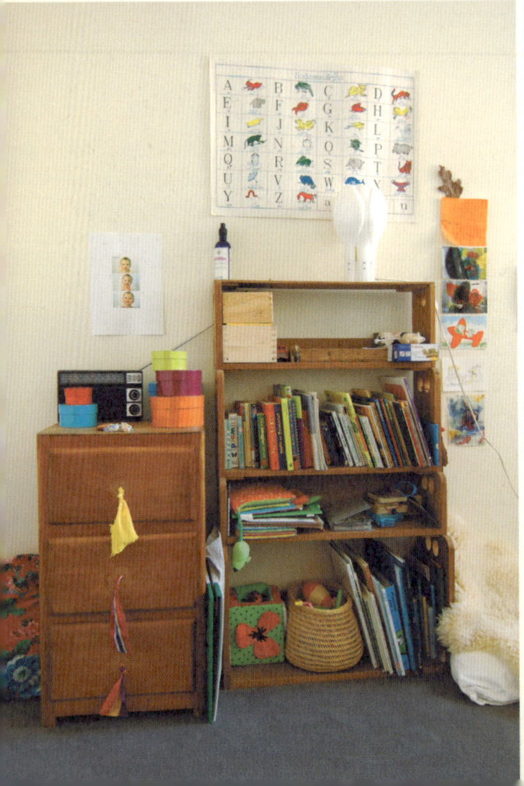

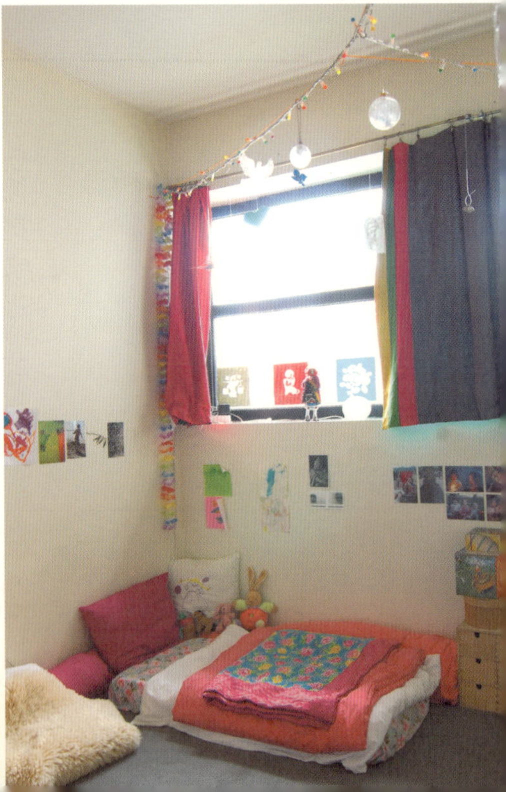

ちいさな子どものころは自分の部屋の家具さえ大きく感じたもの……。子ども部屋のインテリアをビュルの視線にあわせてあげたいと考えたママのキャロリーヌ。ローテーブルをお絵描きデスクに、ベッドもマットレスを組み合わせて。チェストの引き出しは、取っ手をすべてカラフルな布に変えてしまった。天井にはカラフルなライトと一緒に、季節にあわせて小鳥や花、葉っぱのオーナメントをディスプレイ。ママはアクセサリーのデザインのお仕事をしているけれど、ビュルに影響を受けて、ますます創作の幅が広がっている。赤いバイアステープの縁どりがかわいいリバーシブル・エプロンドレスは、最近のママのクリエーション。ユーズドの洋服をリメイクした子ども服で、1着1着モチーフが少しずつ違う。お気に入りの1着が生まれるのをビュルも楽しみにしている。

Bulle

Air de la campagne pour parisien pur jus !

おだやかなカラーリングの森の中のちいさなお家

Barnabé et Gustave

バルナベ : 5 ans / garçon　ギュスターヴ : 1 an / garçon
maman : Géraldine Lefbvre-Dufour / styliste

モスグリーンのベッドの上に
大きく名前がペイントされたバルナベのお部屋。
あたたかみのある白にペイントされた壁に
バルナベのおもちゃをまとめる藤のバスケット
アクセントに使われているのは
川の水に長年さらされてきた石のようなブルー。
植物や自然から生まれてきた
ナチュラルで落ち着きのある色使いは
森の中のお家のよう。
床に赤れんがが敷いてあるギュスターヴのお部屋も
あわいラベンダー色の壁に
ステンシルで描かれたお星さまがきらきら
おおきなラベンダー畑で遊んでいるかのよう。

Barnabé

Le plus grand livre du monde

モンマルトルの丘の中心にあるバルナベとギュスターヴのお家。お日さまの光がさんさんとふりそそぐ、静かな中庭に面しているので、パリの街のざわめきを忘れるよう。ママのジェラルディンとパパのルノーは、もともとふたつに分かれていたアトリエを一緒にして、落ち着きのある、どこかなつかしい田舎風の家にリフォーム。カーペットの下に隠れていた、はめ木の床を復活させただけで、ずいぶん雰囲気は変わった。そこにスタイリストのママのお見立てのニュアンスのあるナチュラルカラーをミックス。家具ものみの市などで見つけた味のある木製のものばかり、というこだわりの家。

52　Barnabé

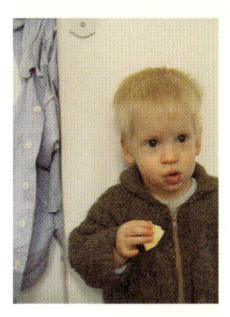

左上：背の高い棚の中には、棚ごとにバルナベのお洋服やおもちゃ、絵本を分けて整とん。絵本の中でいちばんのお気に入りは「ロビンフッド」。コスチュームを着て、ヒーローごっこをして遊ぶのも大好き。左ページ下：バルナベが生まれたときのお誕生カードは、コットンの赤ちゃんパンツをベースに、シルクスクリーンで木馬をプリント。クリエイティブなパパとママのユニークなアイデア！

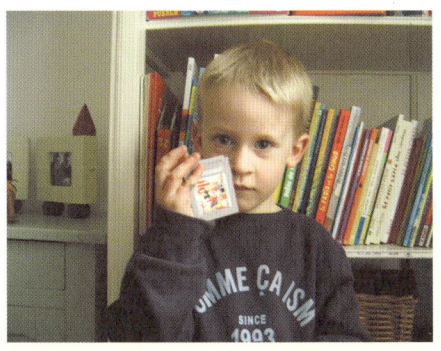

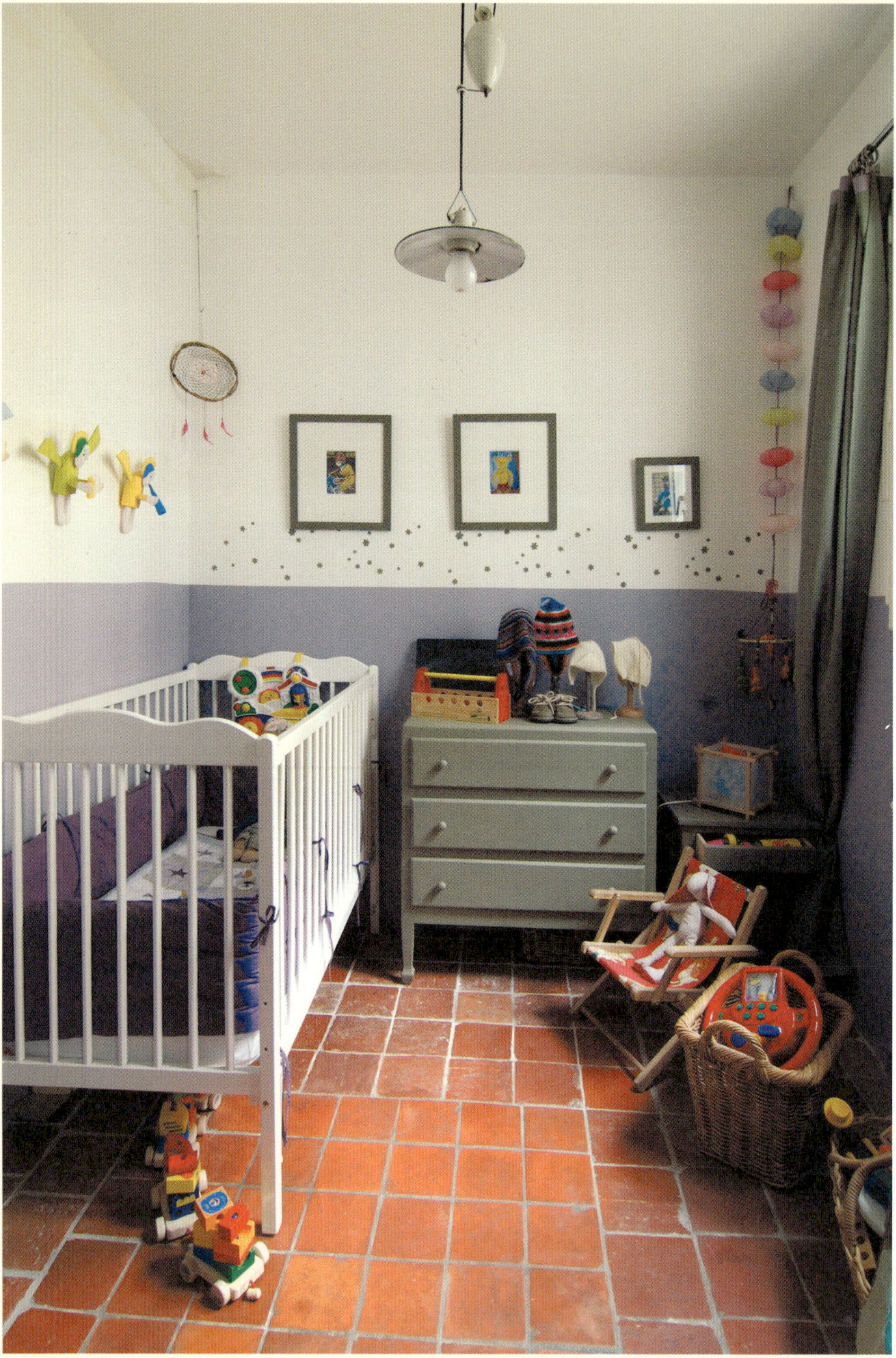

Gustave

ギュスターヴも自分の部屋を持てるようになれたことがうれしくて、ママは素敵なお部屋にしようと張りきった。だからちいさな部屋には、かわいいアイデアがいっぱい。床には南フランスの赤れんが「トメット」を敷いて、壁はパパとママでペイント。そして「ロベール・ル・エロ」の星のステンシルでアクセントを付けた。パパとママだけでなく、おじいちゃんやおばあちゃんもギュスターヴのためのハンドメイドに夢中。壁に並んだフレームはおばあちゃんから、おじいちゃんはちいさな黒板を作ってくれた。ひいおばあちゃんは白い毛糸の帽子をプレゼント。すやすや眠るギュスターヴを見守る天使たちは、ポーランドのおみやげ。

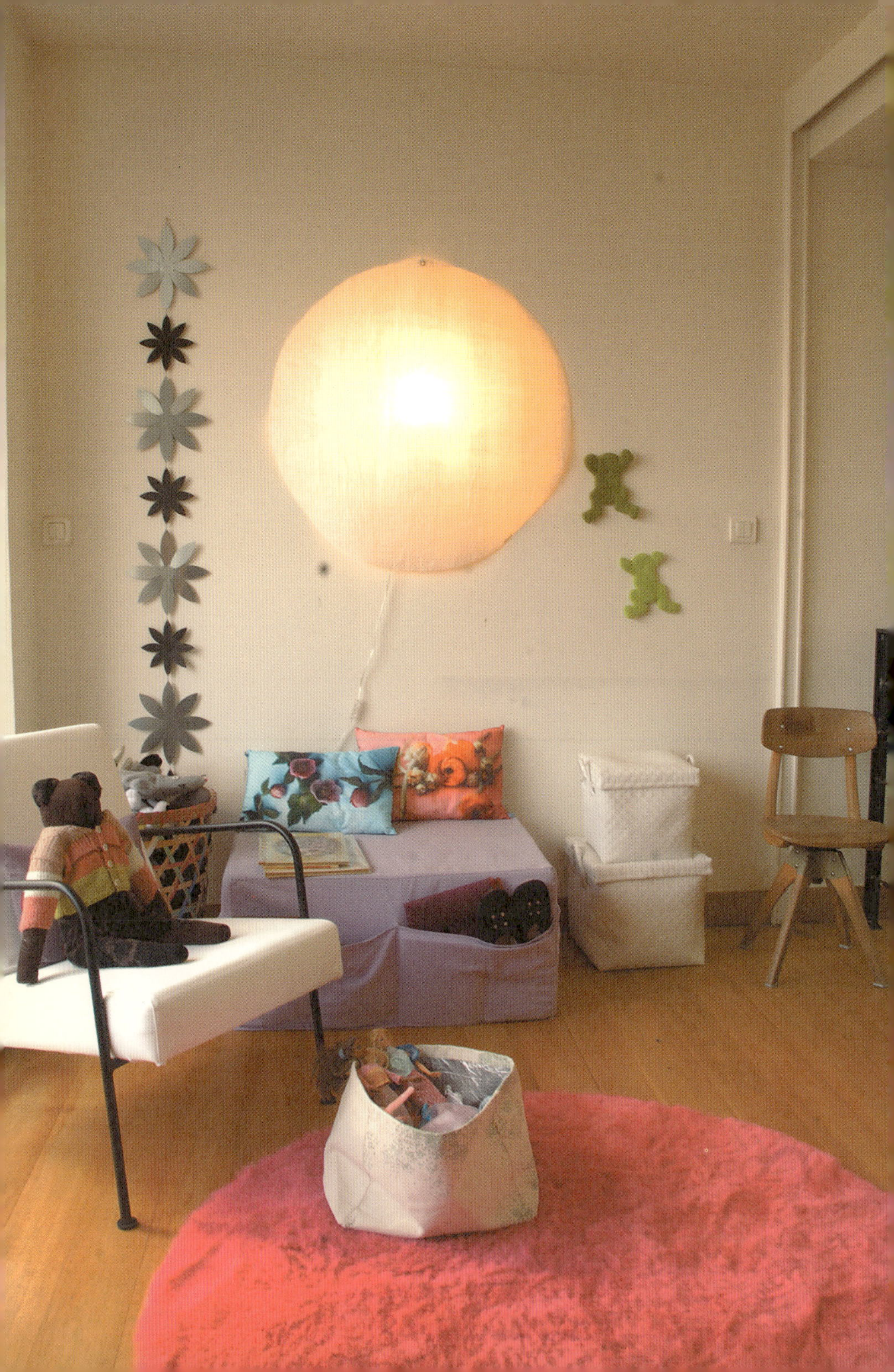

Chambre avec vue et terrasse en plein ciel

お日さまの近くでゆらゆらブランコ

Alice, Louise et Jules

アリス：8 ans / fille　ルイーズ：4 ans / fille　ジュール：1 an / garçon
maman : Elisa de Bartillat / cofondatrice de la boutique Serendipity

アリスのお部屋は気持ちのいいテラス付き
ウッドデッキの上にはテーブルやプランター
そして何よりの自慢はかご型のブランコ！
いまでは1歳になる弟のジュールが生まれたときに
子ども部屋の見直しをして
妹のルイーズとジュールは階下のお部屋
アリスはもともとママがアトリエにしていた
庭に面したテラス付きの明るいお部屋へ。
でもアリスにとってこの部屋のいちばんの魅力は
ママとパパの部屋と同じフロアだということ。
おねえちゃんのアリスが弟や妹をおいて
パパとママを独占できる時間がもてるのはやっぱりうれしい。
模様替えはママにアドバイスをもらいながら
アリスがお気に入りを選んで……
いまはアリスの大好きなものに囲まれたお部屋になっている

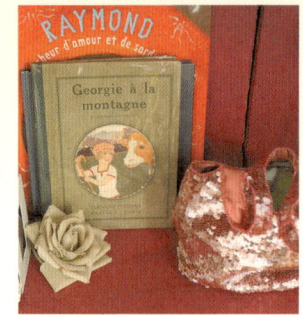

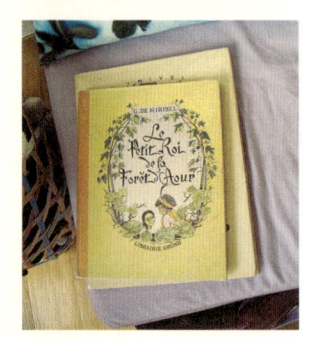

左上：のみの市で見つけたカラフルな木製のピンがお気に入りのおもちゃ。中中上：茶色いクマさんが着ているのは、アリスがちいさなときに着ていたニット。やさしい手触りのぬいぐるみが大好きで、ママもショッピングに行くとついつい買ってしまう。右中下：アリスの夢は犬を飼うこと。でもママは反対していて、そのかわりにと犬がアップリケされたTシャツをプレゼント。いまはこのわんちゃんでガマンしている、お気に入りの1着。

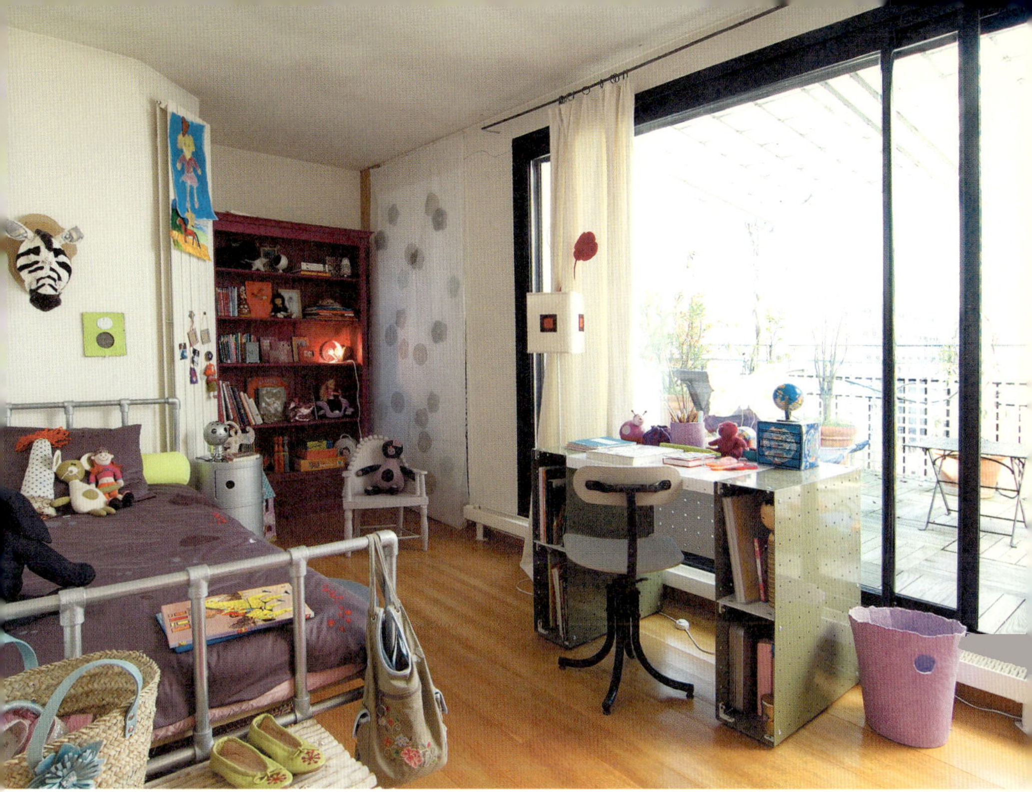

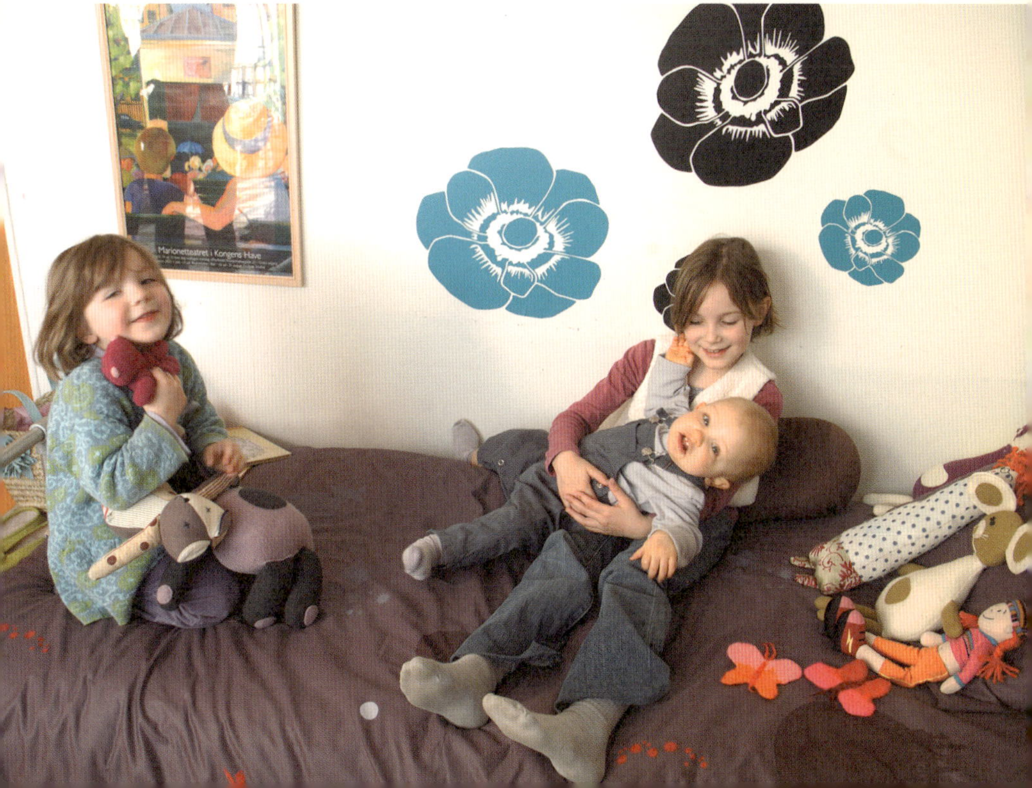
Marionetteatret i Kongens Have

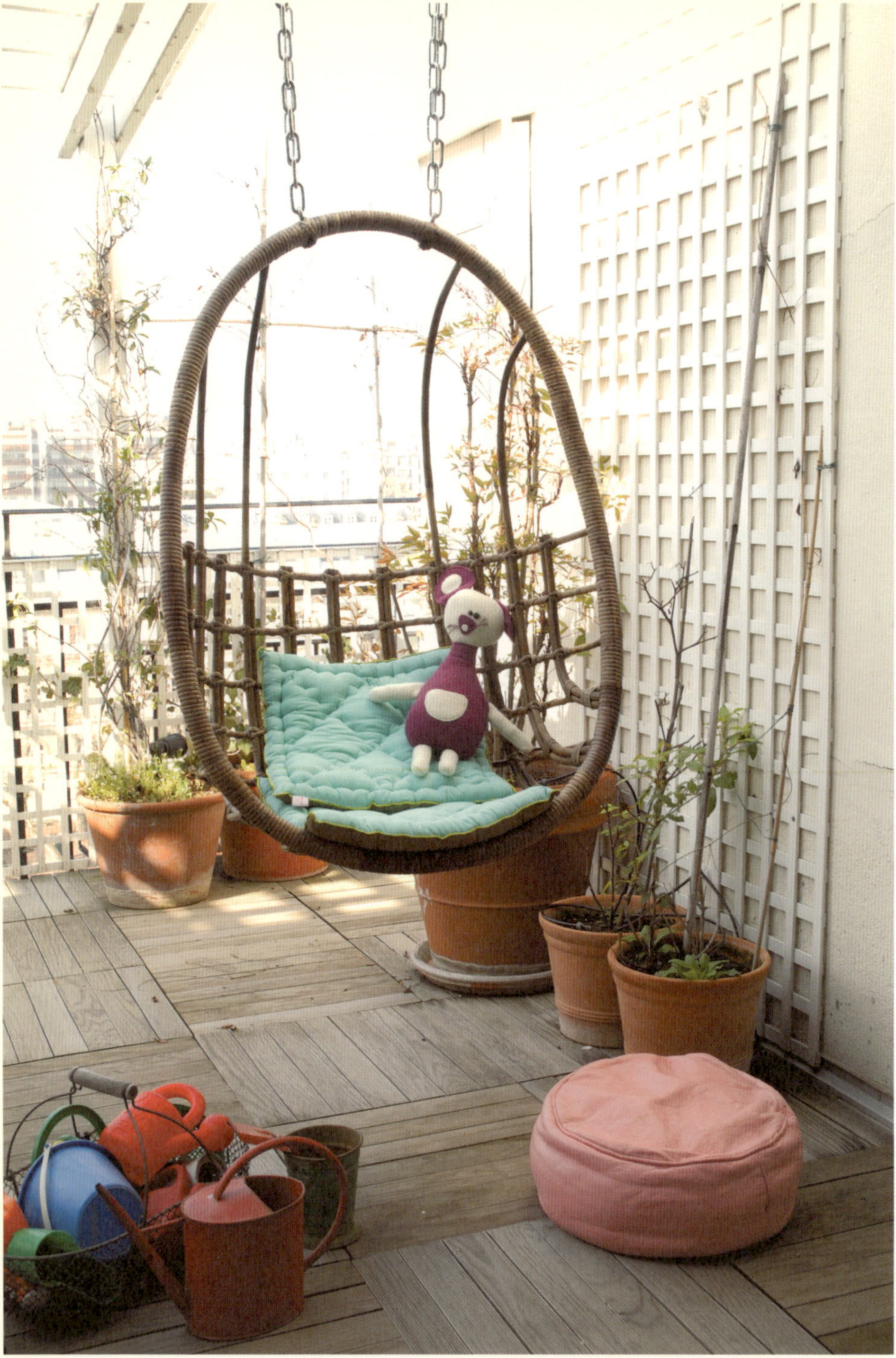

アリスのママ、エリザはお友だちのローランスと一緒に、「セレンディ
ピティ」という子どものためのインテリアショップをオープンさせた、
インテリアのプロフェッショナル。ちいさなころに自分の部屋にあった
ものは大人になっても忘れない、とても大切なものだと思っているエリ
ザ。アリスの部屋にも「セレンディピティ」で扱っているオブジェたち
がたくさん。パイプのフレームのベッドやテラスをのぞむ窓辺に置いた
デスクは、もともとママのショップのための新作。アリスのお気に入り
になって、いまではショップにも商品として並んでいる。

Alice, Louise et Jules

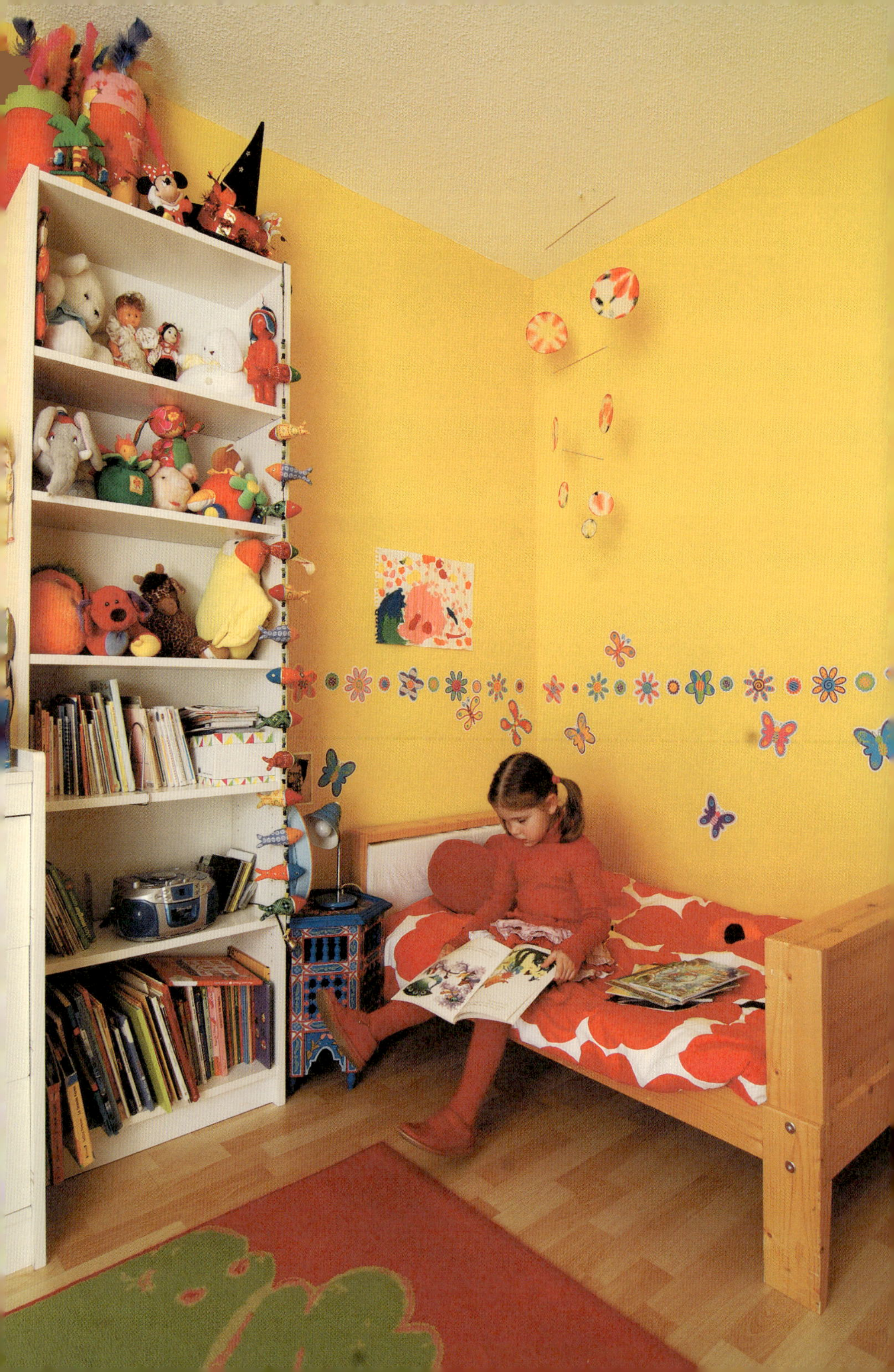

Honneur à la couleur et à la bonne humeur

お花の精と七色の虹のお部屋

Calista et Stelio

キャリスタ：3 ans / fille　ストゥリオ：6 ans / garçon
maman : Poly / photographe

フランスのゲーム、スクランブルの
アルファベットのコマで
「CALISTA」「STELIO」と
名前がきちんと書かれたそれぞれの部屋。
キャリスタはフラワーモチーフが大好き。
イエローの壁にペタペタ貼ったシールも
ちいさなベッドの上の「マリメッコ」のシーツも
いちばんのお気に入りドレスもお花でいっぱい。
お兄ちゃんのストゥリオのお部屋も
あかるいイエローの壁がポイントになったカラフルな空間。
お部屋はまるで色にあふれたギャラリー。
アーティストたちのポスターと一緒に
ストゥリオの描いた絵を、自由に並べて楽しそう。

パリではめずらしい高層ビルの最上階にある、ふたりの部屋はお日さまの光でいっぱい。壁にペイントされたあざやかなイエローは、家族みんなもお気に入りの色。フォトグラファーのママ、ポリーはインスピレーションたっぷりのビジュアルに夢中で、ストゥリオのギャラリーはもちろん、キャリスタのお部屋には中国のポスターや50年代の教科書の挿し絵のコレクションが家族写真のコラージュと一緒に飾られている。ふたりの部屋には子ども用の家具はほとんどなく、エキゾチックなバザーやのみの市で出会った掘り出し物ばかり。子どもたちの作った工作や絵画を、パパとママはフレームに入れたり、少し手を加えたりして、インテリアとして大切に飾っている。

妹のキャリスタがお昼寝しているあいだに、パパのCDをこっそり持ち出して、この部屋で歌ったり踊ったりしているというストゥリオ。イエローのシェルフの上には、不思議な人体模型をはじめ、ミッキーやババールなど大好きなおもちゃがずらり。兄妹ふたりともお気に入りのおもちゃとして教えてくれたのは「プレイモービル」。

Du rouge qui claque, des imprimés qui petillent,
des idées qui s'envolent!

キッチュであざやかな色が集まるちいさな遠い国

Émile, Théo et Pablo

エミール：5 ans / garçon　テオ：3 ans / garçon　パブロ：3 mois / garçon
maman : Myriam et Pan / créateurs de Petit Pan

ぺたぺた、ちいさな手のあとが
壁に並んだエミールとテオ、そしてパブロのお部屋。
グリーンやオレンジ、イエローにピンク
好きな色のペンキにエミールとテオふたりの
手や足をひたしては、ラズベリー色の壁にぽんぽん
いたずらごころたっぷりのデコレーション。
ふたりの二段ベッドをにぎやかにいろどる
パパとママのクリエーションのベッドリネンと
一緒になって、さらに楽しい雰囲気に。
パパのルーツの中国のモチーフと
旅が好きなパパとママふたりの影響で
子ども部屋もエキゾチックな旅のかおり

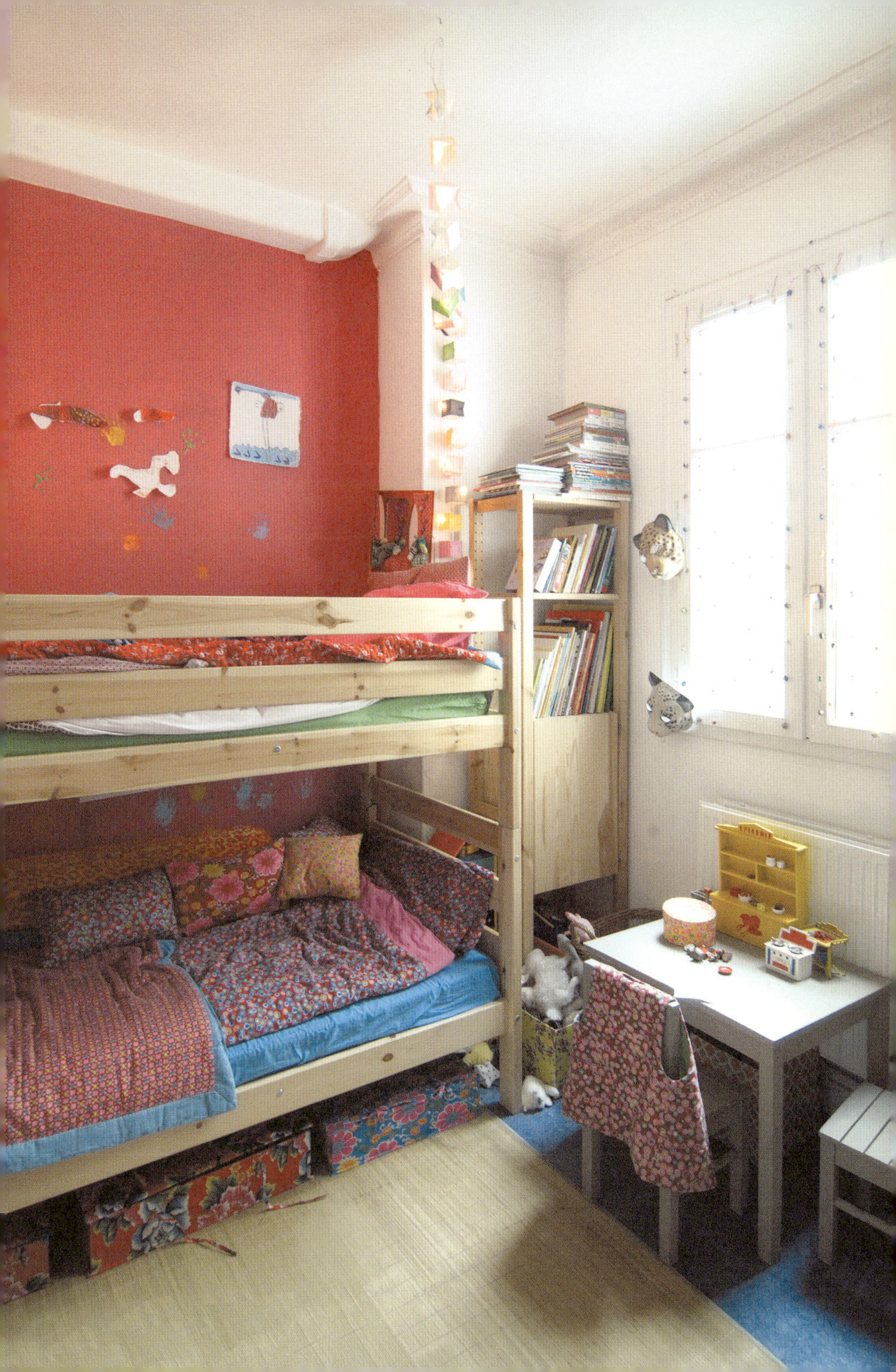

エミールとテオに、かわいい弟のパブロが加わり、二段ベッドが登場して、さらににぎやかになった子ども部屋。ママのミリアムと中国にルーツを持つパパのパンは、「プチパン」のクリエーター。エミールが生まれ、北京に住むおばあちゃんが送ってくれた子ども服のテキスタイルの色使いやプリントの美しさにパパとママは感激。中国のデザインにインスピレーションを受けた子ども服とオブジェを作りはじめた。そしてパパとママはパリにショップを持つことに。3人の子ども部屋を見ても伝わってくるとおり、パパとママのクリエーションが加わると、お部屋の中がとても楽しくなる。

Émile, Théo et Pablo

レゴをお片付けする赤いトランクは中国からやってきたもの。ピンクの飾り棚には、エミールとテオが大好きな動物のフィギュアがディスプレイされている。お部屋にある本やオブジェ、絵や工作にたくさん登場するクジラは、テオがいちばん好きなもの。お魚のお菓子型と一緒に眠るほど、クジラがお気に入り。

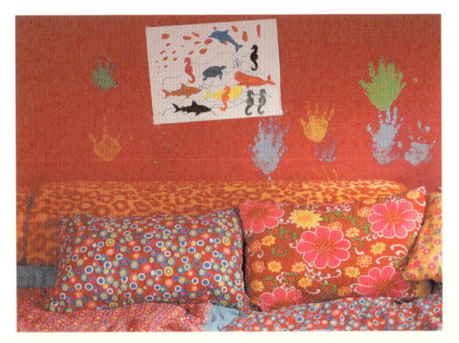

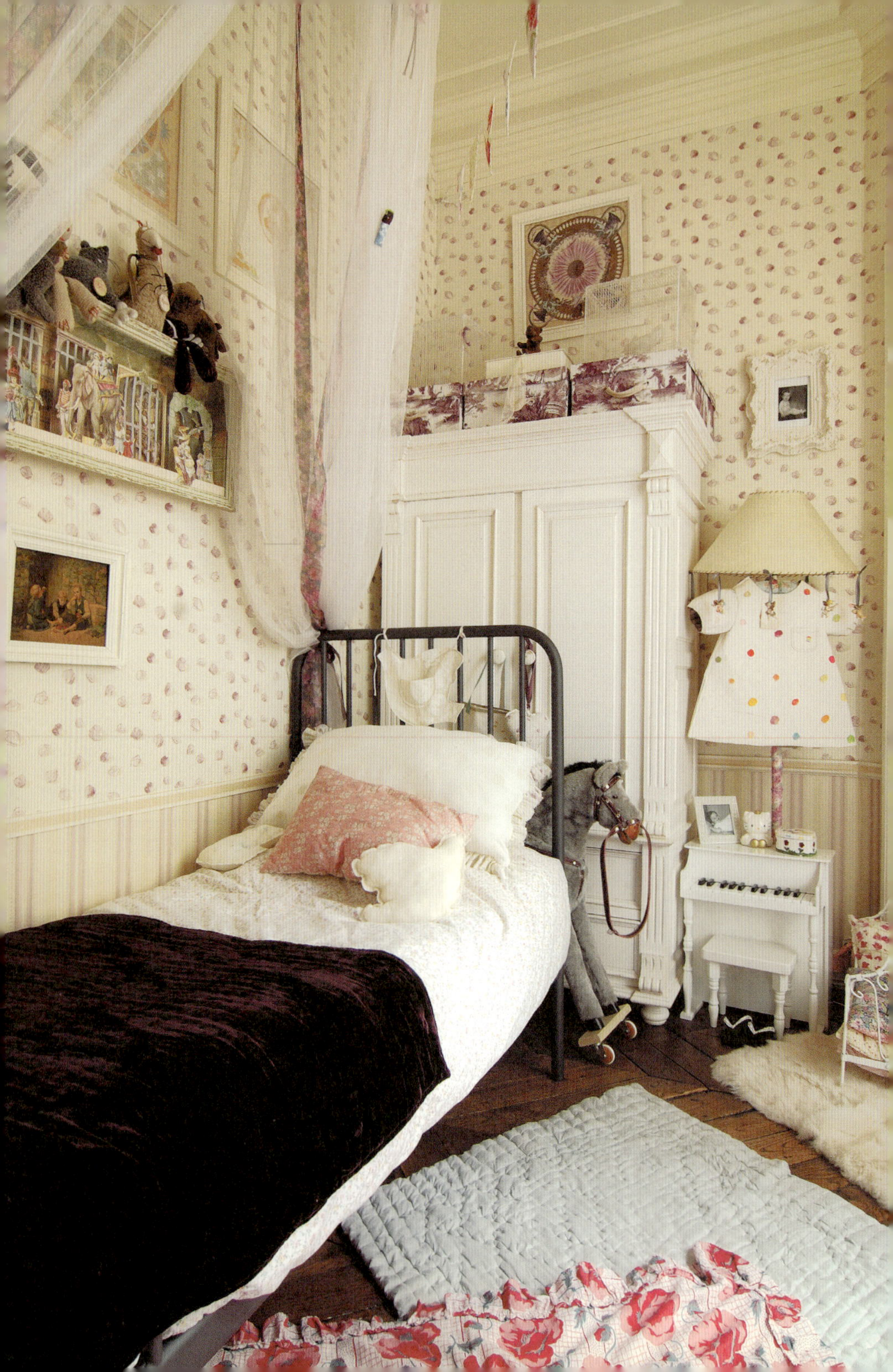

Une chambre douce pour rêver
et une chambre folle pour s'amuser

あまいお菓子のようにスウィートなお部屋

Constance

コンスタンス：5 ans / fille　maman : Virginie d'Agosto / styliste de mode

ヴァイオレットの花びらが
ひらひらお部屋中を舞っているような
コンスタンスのベッドルーム。
ベッドはコンスタンスが好きな絵本
「マドレーヌ」シリーズに出てくるような
黒いスチールのフレーム。
ちいさな白いピアノに、グレーの木馬
水玉のワンピースを着たフロアライト……
ロマンチックなオブジェが集まって
女の子の夢を閉じ込めたような世界。
そしてコンスタンスのもうひとつの自慢
元気いっぱいピンクのプレイルーム！
タイプの違うふたつのお部屋を
ひとりじめできるなんて、とても素敵。

壁に取り付けた飾り棚の上に並んだシルバーのカップは、ママが1年にひとつずつ増やしているもの。ひとつひとつ違うレリーフがとてもきれい。その上のちいさなガラスケースには、コンスタンスが赤ちゃんだったころのおもちゃやぬいぐるみ、靴を入れて、思い出を大切にディスプレイ。

上：さまざまなお花のプリントが楽しい三角形の生地が連なったガーランドは、「キャス・キッドストン」のもの。右下：ドアにパステルで書かれているのは、コンスタンスの身長。少しずつ少しずつ高い位置に書かれていく文字の並びや、色使いがかわいらしい。

74

お友だちもうらやむ、ふたつのお部屋を持っているコンスタンス。この家に引っ越してきたときに、コンスタンスのベッドルームを前のアパルトマンのようにしようとがんばったというスタイリストとして活躍するママのヴィルジニー。「オズボーン＆リトル」の壁紙に、赤ちゃんのころに使っていた宝物……みんな以前と同じに、ロマンチックなお部屋ができあがった。もともと書庫だったプレイルームは、宝物が眠るピンクの洞くつのよう。いま夢中になっているものばかりなので、学校に行く前のちょっとした時間もコンスタンスはこの部屋へ。こんなにたくさんのキティちゃんグッズやおもちゃが揃うのもママがコレクターだから。コンスタンスにプレゼントする素敵なおもちゃを見つけようと、インターネットで探したりもするのだそう。

Constance

Un tour du monde sans quitter sa chambre

ひとつひとつの貝がらに海の思い出

Noé

ノエ：3 ans / garçon　maman : Muriel Abecassis / directeur artistique de AM/PM

すべすべした白くて平らなもの
いがいがした茶色のツノがたったもの
ひとつひとつ不思議な形の貝たち……
水色のトートバッグいっぱいに集まった
ノエの貝がらコレクション。
柔道やホッケー、スキー、サーフィンも好きだけど
ヴァカンスででかけたマダガスカル島や
ブルターニュの海岸で拾ってきた思い出を
子ども部屋いっぱいに広げて
海のおはなしの世界にひたるときが
ノエのいちばん楽しい時間。
巻き貝を耳にあてたら、波の音が聞こえるかな？

ATOMIC GARAGE
DOMINO Express
Drôles d'histoires
A.L.I.E.N.
MIMES ET COMPAGNIE!
SCRABBLE
WILD ROCK NEVER DIES

Noé

アートディレクターのママ、ミュリエルはアパルトマンの壁を好きな白をベースに、部屋ごとにアクセントカラーを加えてペイント。リビングルームはあざやかなピンク、キッチンは赤、そしてノエのお部屋はやわらかいベージュ。スポーツもコンピューターも、それからお菓子づくりも好きという、スマートなノエのお部屋は、おおきなふたつの窓があって明るい空間。広々としたデスクは「イケア」で見つけた水色のキャビネットに、木の板をのせただけ。2脚のイスが仲よく並んでいるのは、お友だちが遊びにきたときも一緒に座れるように。ベッドの上に置かれたふかふかのクッションは、おばあちゃんがミンクのストールをリメイクしてくれたもので、ノエもこれがあればぐっすり、楽しい夢を見ることができる。

Une chambre-atelier pour deux d'artistes en herbe

プチアーティストのふたりのためのアトリエ

Suzanne et Zélie

スザンヌ：8 ans / fille　ゼリー：3 ans / fille　maman : Anne Bullat / graphiste

はじめは真っ白だったスザンヌのお部屋
妹のゼリーが生まれて
イエローとオレンジとピンク
わたあめのようにカラフルなふたりのお部屋に。
チェストや飾り棚、勉強机なども
ママとパパ、お友だちやおじいちゃん
みんなの力をあわせて、生まれ変わった。
それからカーテンには、スザンヌとゼリーが
お絵描きしたコットンの布をパッチワーク。
窓にはスザンヌの描いた女の子がにっこり
とってもわたしたちらしいお部屋になったでしょ？
と、うれしそうなスザンヌとゼリー

右上：白いコットンの布を画用紙がわりに、スザンヌとゼリーがお絵描き。こうして描きためておけば、ママのひらめきでまたなにか新しい家族の作品ができあがる。
左下：イエローの壁に咲いたお花のようなスザンヌとゼリーの帽子。すぐ近くにコートやジャケット、バッグも用意してあるので、コーディネートが簡単。

女の子らしいお部屋にしたかったというママのアンヌは、ふんわりとした透明感のある色合いを作るために、ひと工夫。好きな色の水性ペンキと一緒に、白いペンキ、そして2本のはけを用意。それぞれのペンキにひたしたはけを使って、直接壁の上で色をまぜていく。簡単だけれど、これだけでも少し特別な風合いに。グラフィックデザイナーのママは子ども部屋をスザンヌとゼリーのアトリエにしようと、ふたりと一緒にお部屋づくりを楽しんでいる。窓にはステンドグラス用の絵の具を使って、ふたりでお絵描き。そして二段ベッドをおおうピンクの薄いカーテンには、ふたりが好きなものを描いたコットンの生地やスパンコールを縫い付けた。このカーテンを付けてから、ゼリーは恐い夢を見なくなったのだそう！

Suzanne et Zélie

Une salle de jeu sous les toits
お空に近いカラフルな積み木のお部屋

Félix

フェリックス：3 ans / garçon　maman : Charlotte Lascève / photographe

はしごのような木の階段をのぼった
アパルトマンのいちばん上がフェリックスのお部屋
ごつんと頭をぶつけないように、
大人は気をつけていないといけないくらい
低い天井だけれど、むきだしの木の梁は
なんだかわくわくしてしまう。
はっとさせられるくらい、あざやかな
オレンジやパープルにペイントされた木の梁は
まるで積み木のお家みたい。
お絵描きが大好きなフェリックスのために
壁にはおおきなおおきな黒板もある。
この黒板ならフェリックスが乗れるくらい
おおきな車の絵も描けそうだね。

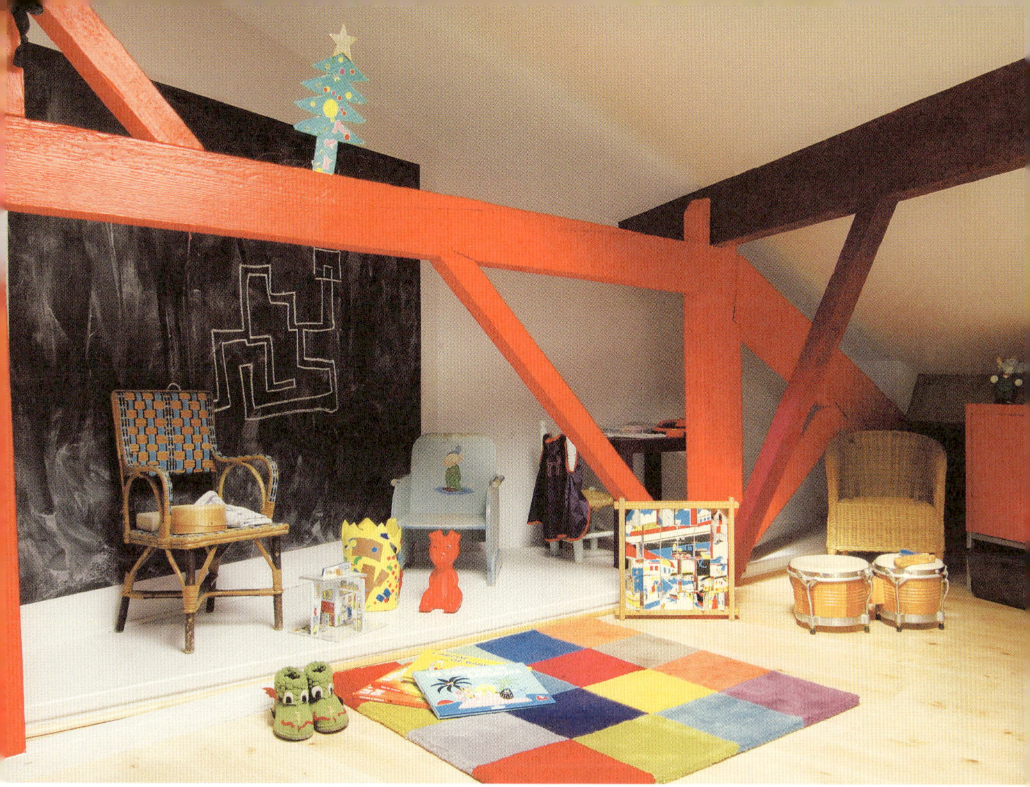

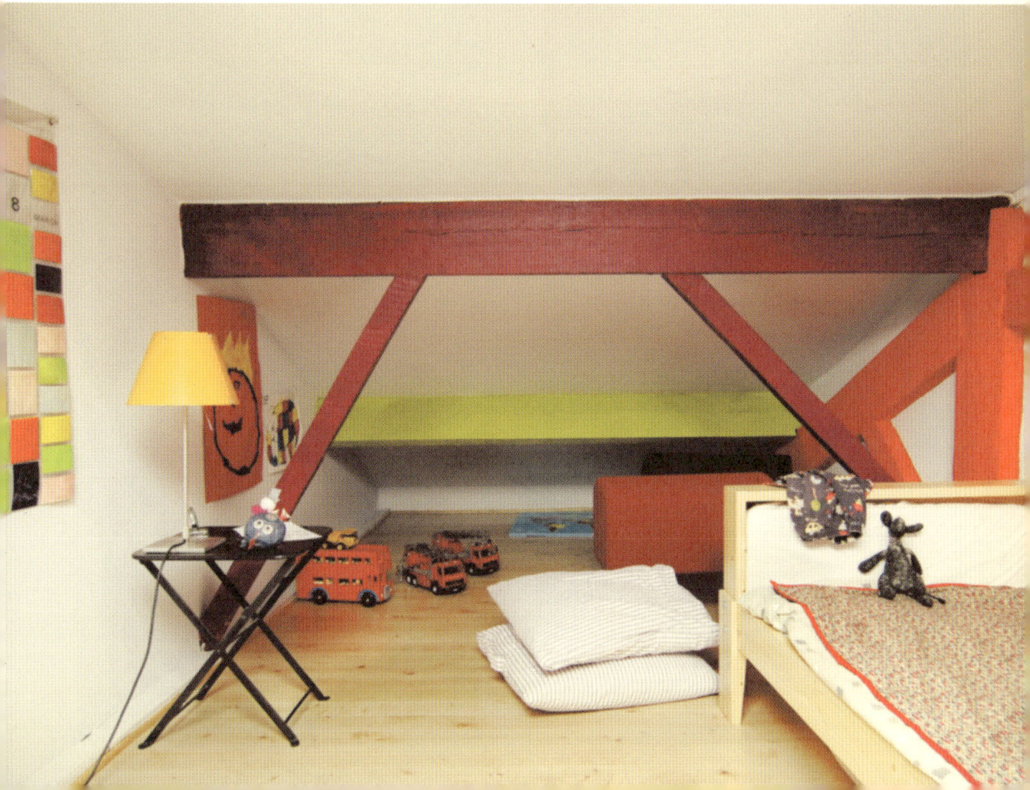

パリらしい街並が一望できるメゾネットのアパルトマンの最上階になる、屋根裏がフェリックスのお部屋。大人にはすこし天井が低いけれど、子どもには十分。仕切りもなくて広々としているので、ベッドを置いたコーナーから、勉強のためのデスクのあるコーナー、そしておもちゃを置いた遊びのための場所と、ひと部屋に変化をもたせて使うことができている。お部屋のあちこちに置かれたアンティークのひじ掛けイスは、家族やお友だちで集めた素材も形もさまざまなコレクション。フォトグラファーのママ、シャルロットとグラフィックデザイナーのパパ、ヤンがフェリックスが楽しそうに遊んでいる写真をジャバラ状にまとめたミニフォトブックは、フリップブックのようで楽しいアイデア！

Raffinement et modernité
pour petite fille de son époque

ママと一緒に選んだきれいなもの、かわいいもの

Mia

ミア：2 ans / fille　maman : Thérèse Yang / directrice artistique

すみきった空のような水色に
お花のプリントが広がる壁紙は
まだちいさなミアが選んだ、お気に入り。
ママと一緒にショップに見に行ったときに
なんてロマンチック！と夢中になって
ママにこれがいいとおねだり。
ミアと一緒にきれいと思えるものに出会えたことは
ママにとっても、うれしいこと。
お部屋をやさしく包む空色のもと
パパがちいさなころから大切にしていたおもちゃや
ママの生まれた韓国のおもちゃ
そしていちばんのお気に入りのちいさなお家で
ミアは楽しそうに遊んでいる。

ベッドの近くには「イケア」で見つけたシンプルなサイドボード。ママはベージュ色にペイントしなおした。その上のかわいらしい気球型のライトは、アンティークショップで出会った60年代のもの。高い天井の近くには、「ザ・コレクション」というお店で見つけた、鳥かごと3羽の小鳥たちのトロンプイユ・シートが貼られている。

Mia

ミアのお部屋は、広々として天井が高く、開放的。シンプルでモダンなインテリアの中に、ポエティックなオブジェがちりばめられている。アートディレクターのママ、テレーズは、まだちいさなミアと一緒に美しいと思えるものを集めるようにした。「セレンディピティ」で見つけたドレッサーは、お気に入りのヘアアクセサリーを入れて、女の子らしいおめかしの宝箱に。そして、いまいちばんのミアのお気に入りは段ボールでできた、ちいさなお家。段ボールに三角屋根をつけて、お外はレンガ風、床は木目のフローリング風、お家の中はちいさな花柄の壁紙を貼って、本当のお家のような出来映え。

Une chambre douce comme
une sieste sous un figuier ombragé…

やさしい光に包まれるピンクとすみれ色

Violette et Fanny

ヴィオレット：2 ans / fille　ファニー：6 ans / fille
maman : Céline Charvet / éditrice

パリを見おろせる眺めのいい
ヴィオレットとファニーのお部屋
ななめになった天井と
お日さまに近い天窓からふりそそぐ朝の光
そして、しっかりした木の梁が
ふたりのお気に入り。
ヴィオレットのお部屋は
落ち着いた味のある古い木の家具に
ヴィオレットのすみれ色がアクセント。
おおきなクッションのカウチスペースは
お姉ちゃんのファニーもお気に入りで
ここでふたり一緒に絵本を読んだり
ドールハウスで大好きなお人形遊びをしたり

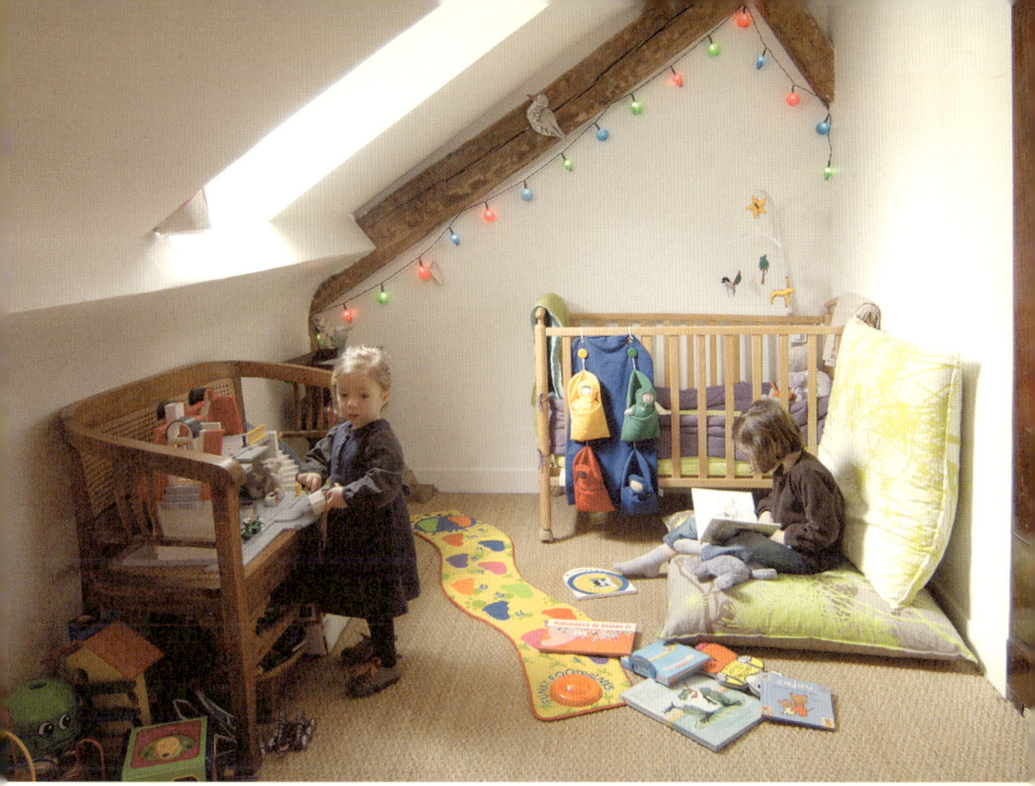

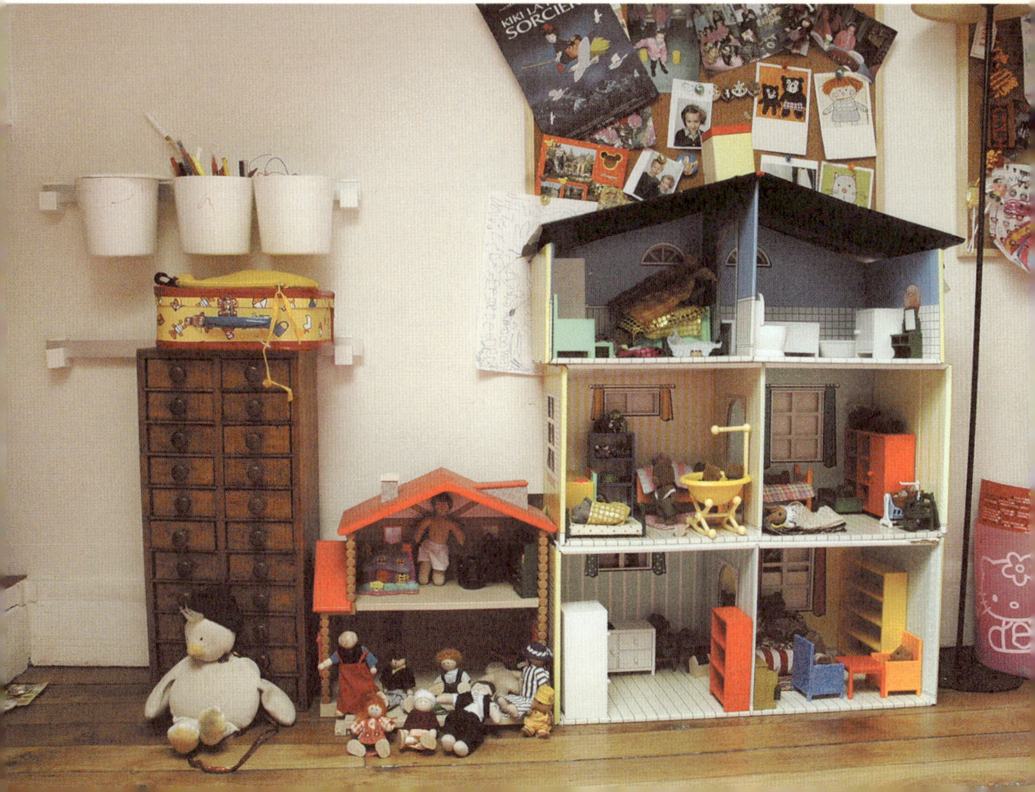

パリのまん中にあるチュイルリー公園近くのアパルトマンに住むヴィオレットとファニー。明るい屋根裏が子ども部屋になっていて、ふたりはお互いの部屋を行き来して、仲よく遊んでいる。ママのセリーヌは絵本のエディター。ファニーの本棚には、カラフルな背表紙のストライプも楽しげにママが手がけた絵本がずらり。ヴィオレットの部屋のおおきなクッションは、ヴィオレットのすみれ色と黄緑色という、美しい色使いで植物がプリントされた「ロベール・ル・エロ」のもの。ママは古い家具とクリエーターのオブジェを組み合わせるのが好き。アンティークのひじ掛けソファの上に置いた「ツェツェ アソシエ」のガラスケースの中にも、なつかしい感じのするオブジェをディスプレイ。

Violette et Fanny

ファニーのお部屋は、一面の壁をきれいなピンクでペイント。シャンデリアや丸いアクセントマットのピンクと、ベッドやキャビネットの赤の組み合わせが、とても女の子らしい。赤いフレームの折り畳みテーブルは勉強机になったり、お友だちを呼んでおやつのテーブルになったりと大活躍。プラスチック素材のドールハウスは70年代のものだけれど、カラフルな家具もしっかり揃っていて、ファニーのお気に入り。

Une mini-chambre fraise framboise pour la fille et un coin à soi pour dessiner

リトル・プリンセスのピンクのお部屋とグリーンのちいさなアトリエ

Loucie et Paul

ルーシー：5 ans / fille　ポール：10 ans / garçon
maman : Marie-Odile Briet / journaliste culinaire

ルーシーのリクエストは大好きなピンク色の壁
パパはストロベリーとラズベリーの色を使って
フレッシュで元気いっぱいのかわいいお部屋に。
白いカーテンにも、赤やイエローでランダムにペイント
そしてパパの監督のもと
ルーシーとお友だちのスザンヌが協力して
カーテンいっぱいに何人ものプリンセスを描き込んだ。
プリンセスが踊る素敵なカーテンのできあがり。
お兄ちゃんのポールのリクエストはオリーブグリーン。
偶然にも「イケア」で購入した勉強机とお揃いの色。
これまではお兄ちゃんのレオと同じ部屋だったけれど
ひとりの空間が持てるようになって
ポールは友だちにプレゼントするバッジを作ったり
「クリピティーズ」と名付けたヒーローたちの活躍を絵にしたり
大好きなパンクを聞いたり、自分の時間を楽しんでいる。

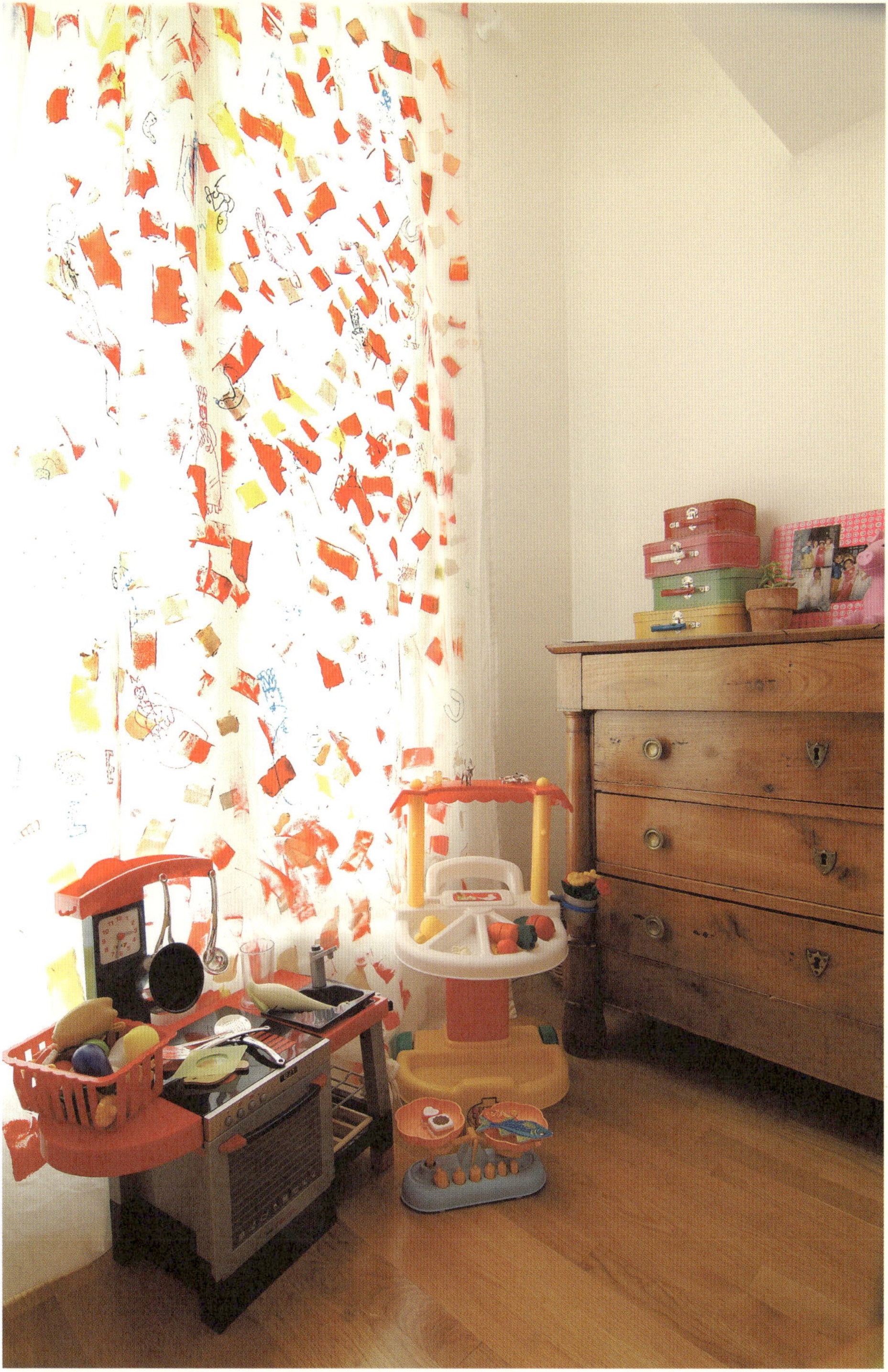

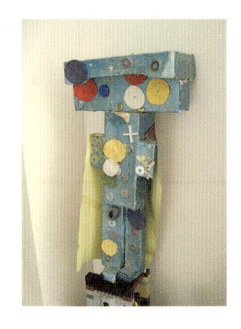

絵を描いたり、工作したりするのが大好きなポール。ノートに描き留められたイラストはファンタジーにあふれている。おもちゃでも、シンプルなブロックを組み立てて、自分の世界を作り出すことのできるレゴやカプラが好き。造型アートのワークショップにもよく参加していて、水色にペイントした箱を組み立てて作ったロボット「ボボ」はポールが作った作品。

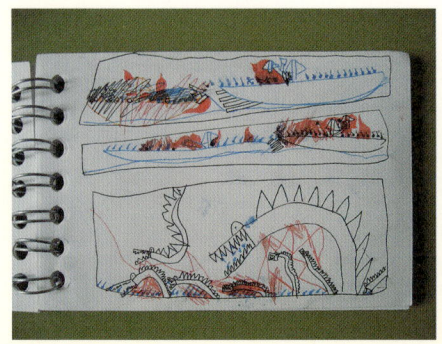

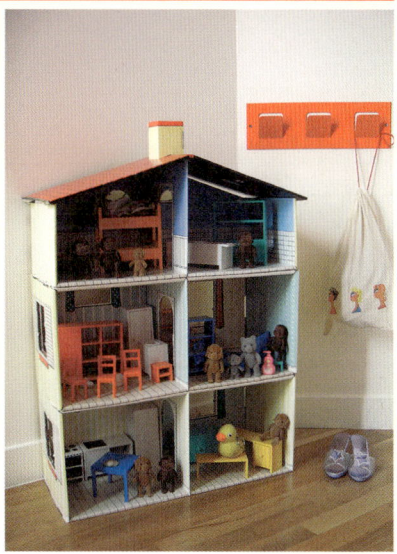

フードジャーナリストのママ、マリー-オディーユが家でもお仕事できるアトリエと、3人の子どもたちもそれぞれ部屋が持てるように、建築家のセリーヌ・ポルタズに協力してもらって、階段やバスルームの位置を変え、リフォームして生まれた3つの子ども部屋。イラストレーターのパパ、エルヴェが子どもたちそれぞれの希望を聞いて、壁をペイント。子どもにとって自分の好きな色にいろどられたお部屋を持てるのは、自分のお城ができたようでとてもうれしいこと。お部屋の中では、ルーシーは大好きなプリンセスごっこやおままごとに夢中になれるし、ポールもクリエーションに没頭して、それぞれの世界を楽しんでいる。

Loucie et Paul

Une chambre de rêve
avec des trésors pleins les placards

ぼくとわたし、それぞれのためのお気に入りのスペース

Joséphine et Auguste

ジョゼフィーヌ：7 ans / fille　　オーギュスト：3 ans / garçon　　maman：Eve Gazzani / styliste

「お空にすこしでも近いベッドだったら
たのしい夢がたくさん見られそうでしょ？」
というジョゼフィーヌのために作られたハイベッド。
ふんわりチュールとキラキラお花のライトを
天井から垂らして、さらにロマンチックに。
ベッドの下には、おもちゃのキッチンと
3枚のマットレスを積み上げたカウチ。
マットレスをひろげれば、
お友だちがお泊まりできるベッドに変身。
弟のオーギュストもこのスペースがうらやましいみたい。
あたたかみのある明るいベージュにいろどられた
オーギュストのお部屋にも、マットレスとクッションで
ふかふかで、気持ちのいいちいさなスペースができた。
オーギュストはここでお昼寝したり、読書するのがお気に入り。

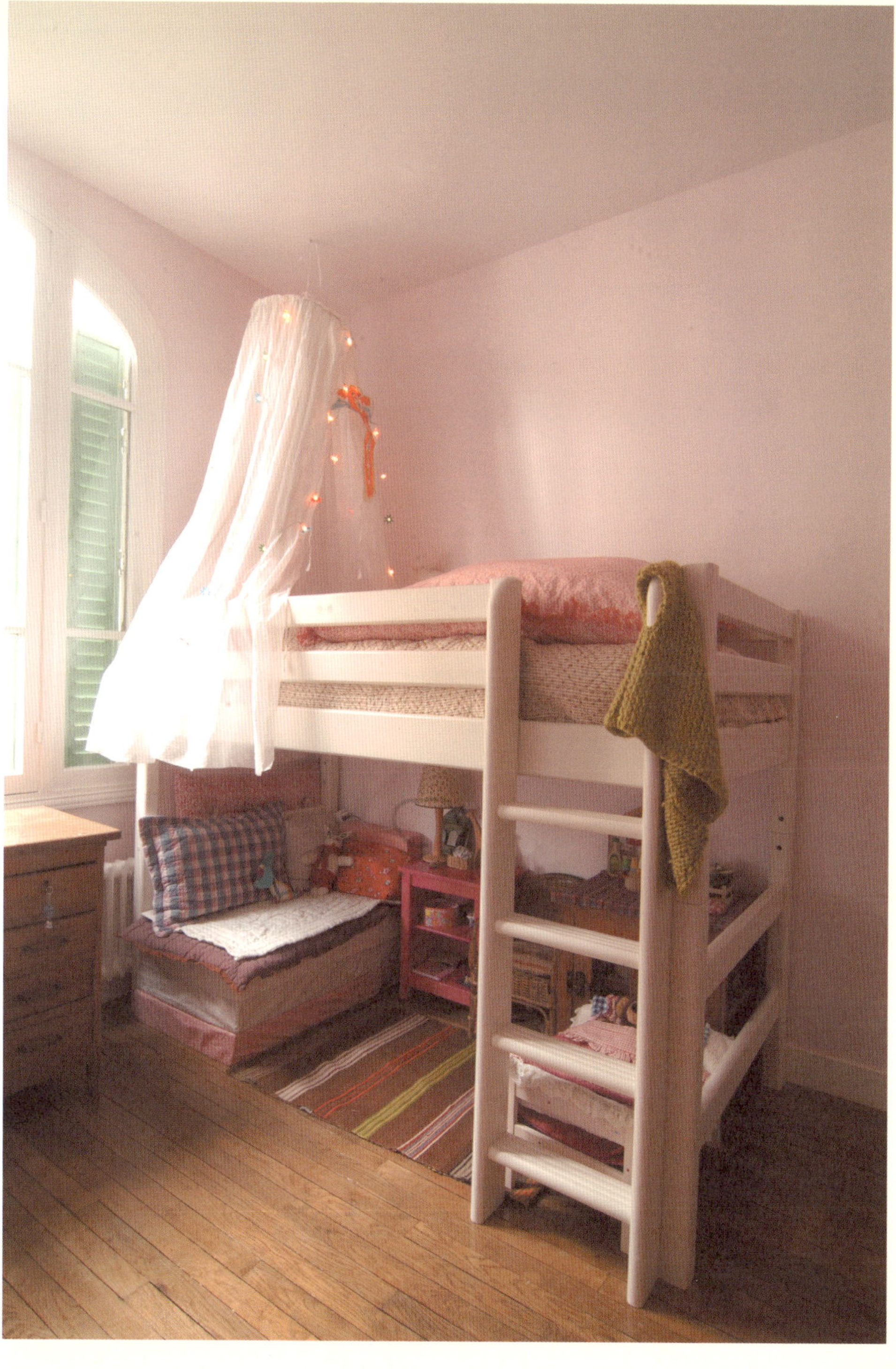

右中上：ちいさなころから、いちばん仲よしのお友だちと一緒にクラシックバレエを習っているジョゼフィーヌ。左下＆右下：テキスタイルデザイナー「メゾンジョルジェット」のキャンバスの小物入れは、オーギュストのちいさなおもちゃをまとめておくのにぴったり。右ページ：ジョゼフィーヌが自分でディスプレイしながら整とんしているチェストの棚。「LOVE」のオブジェはニューヨークで見つけたもの。

Joséphine et Auguste

ジョゼフィーヌとオーギュストのママ、イヴは「ボントン」のベビー用品のコレクションのカラーリングを担当しているデザイナー。ふたりのクローゼットの中もきれいに整とんが行き届いていて、まるでショップのよう。もうおしゃれに興味をもちはじめたジョゼフィーヌのクローゼットの中には、かわいいアクセサリーやメイクグッズも並んでいる。お気に入りのおもちゃをたずねたら、ペンやはさみ、のりにテープなど工作するのに必要なものという手作りが得意なジョゼフィーヌ。ママと一緒になにかクリエーションするのがいちばんの楽しみ。

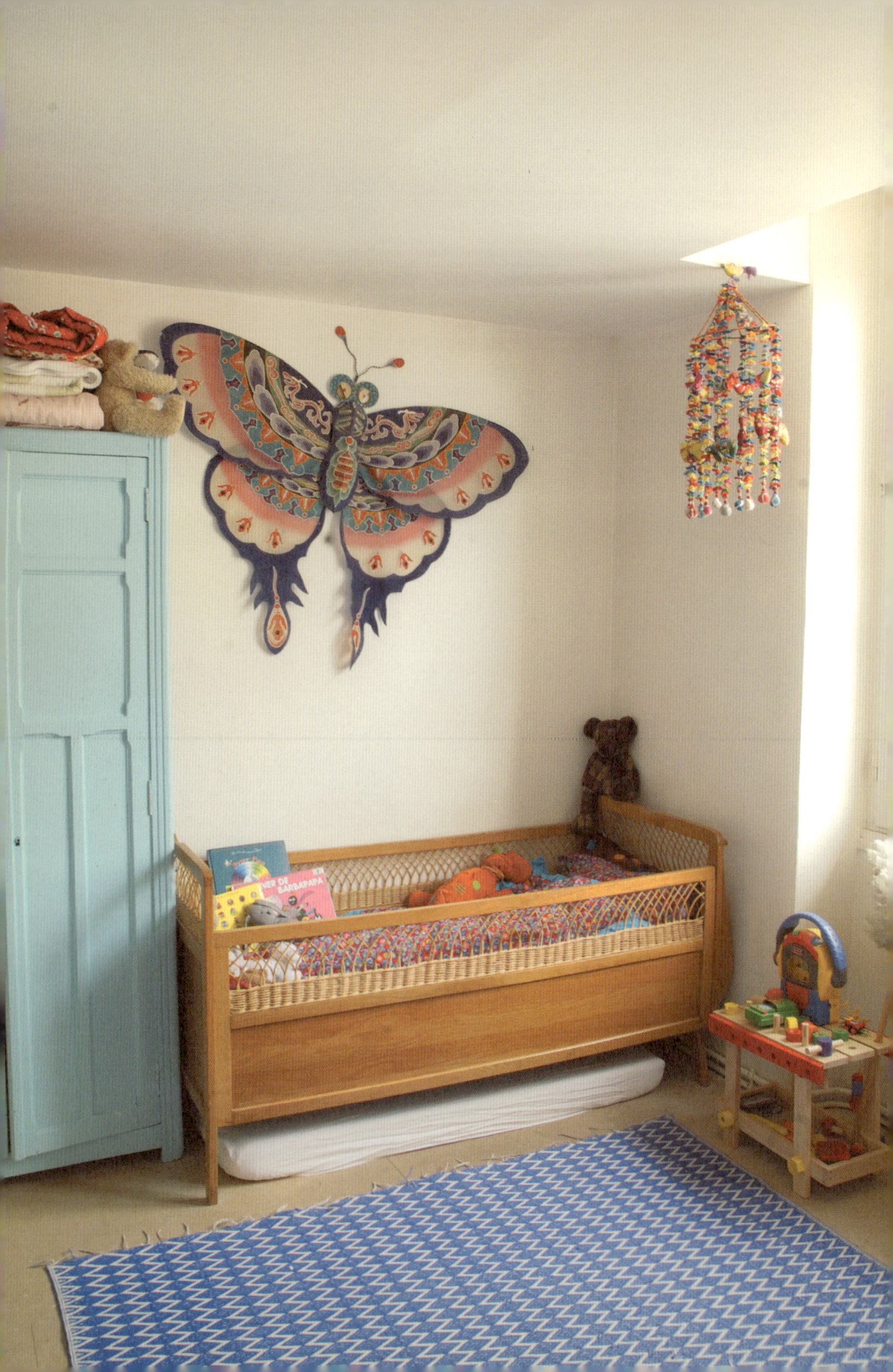
BARBAPAPA

Un tour du monde
sans quitter sa chambre

遠い国や古いものたちのおとぎ話が聞こえてきそう

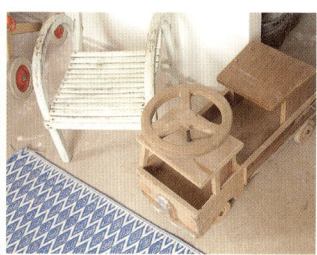

Noé

ノエ：3 ans / fille　maman : Alexandra François / styliste de bijoux

ベッドのそばの壁には、中国からやってきた
青くて、おおきなちょうちょのカイト
床にはアフリカからやってきた
ギザギザ模様の青いビニールのマット
そしてインドネシアからやってきたマリオネット
ノエの部屋にはいろんな国のオブジェがいっぱい。
もちろんノエは行ったことがない国ばかりだけど
ママはノエがここにあるものを好きになってくれるようにと
それぞれが生まれた国についてのお話をしてくれる。
遠い国からやってきたモチーフや
ずっと使われてきた古いオブジェが大好きな
ママの揃えたノエのお部屋の家具やおもちゃたち。
ひとつひとつが持っているストーリーを
ノエに楽しくおしゃべりしてくれそう

Noé

ノエの住むアパルトマンは、モントルイユにある。モントルイユはパリでも大きなのみの市のたつ、親しみやすいカルチエ。アクセサリーデザイナーのママ、アレクサンドラはお仕事のインスピレーションにもなるし、趣味としてのみの市やガレージセールで見つける古い家具や道具が大好き。のみの市にノエと一緒に行くことも。ママがレースやビーズなどを見ているあいだに、ノエはちいさな車を手にうれしそうにしていたりするのだそう。ベッドをはじめノエの部屋の家具も、のみの市で見つけたり、おじいちゃんおばあちゃんから受け継いだものがほとんど。おもちゃや絵本がいっぱい並んだ棚も、もともとはママがアクセサリーのショーケースとしてショップで使っていたもの。

Un petit paradis à partager

かわいいお友だちがいっぱいの不思議の国

Alice et Nina

アリス：6 ans / fille　ニナ：4 ans / fille
maman : Caroline Diaz / créatrice textile

マドレーヌの焼ける甘いかおりに家中が包まれる
今日はママもわたしたちもおやすみの水曜日
ママがお菓子を作ってくれているあいだに
わたしたちはお絵描きをしたり
お友だちを呼んで、一緒に遊んだり。
おやつを食べたら、みんなで
「オズの魔法使い」を見よう！
お友だちにもうらやましがられる
アリスとニナのお部屋は
まるで絵本から抜け出してきたよう。
ママの作ってくれたニットのうさぎさんやクマさん
紙粘土のねずみさんたちが暮らすドールハウス
ここにはかわいい仲間たちがたくさんいるからね。

左中上：プラスチックのピノキオは、キャロリーヌが子どものときから遊んでいたもの。中中下：ニナがいつでも一緒のぬいぐるみはお猿さんのポピ。ある日、ポピは駅でいなくなってしまった！でも親切なムッシュが、ママが縫い付けてくれたタグを手がかりに返してくれて、またニナのもとへ。足も手もつぎはぎしながら、いまでもいちばんのお友だち。左下：アリスが生まれてから、パパとママはうさぎグッズのコレクションをはじめた。もちろん、きっかけは「不思議の国のアリス」から。ママの手作りのアルバムの表紙にもうさぎさんのアップリケ。

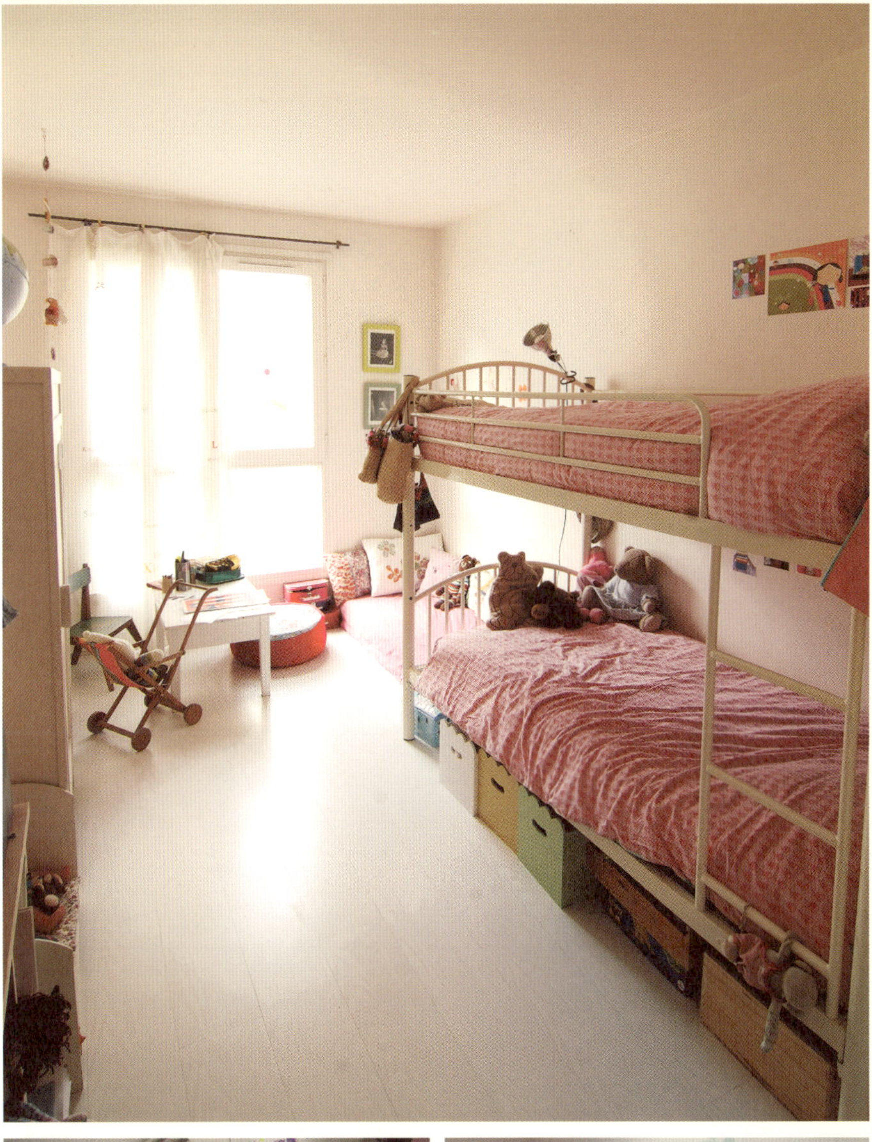

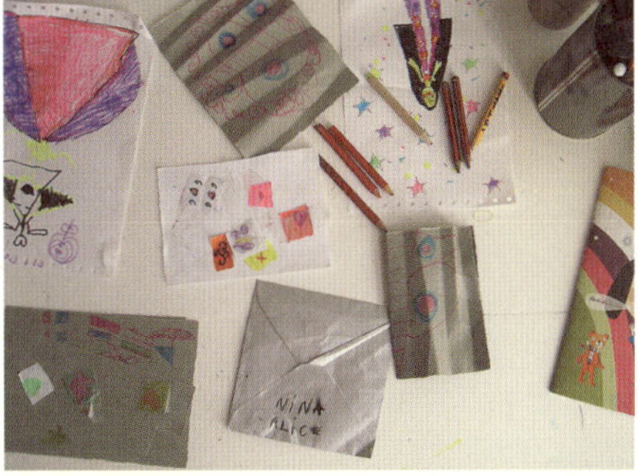
NINA
ALICE

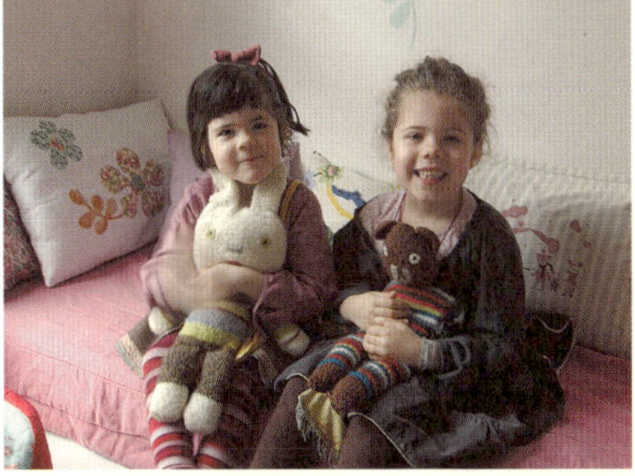

アリスとニナのママ、キャロリーヌは、子どもたちのための雑貨やおもちゃを作っている、雑貨デザインユニット「ミニラボ」のひとり。お部屋を広く使うために、ベッドは2段にして、ふたりが仲よくお絵描きできるようにと、向かい合わせに白いちいさなデスクを置いた。この白いお部屋に、ママのデコレーションのエッセンスが加えられて、アリスとニナも大好きな空間になっている。壁の上を飛ぶ鳥たちのステッカー、やさしい手触りの木のおもちゃ、うさぎやクマのぬいぐるみたち……。壁に貼られたミニラボのカードは、アリスとニナが自分たちでピンナップ。ふたりともママの作る雑貨の大ファン！

Alice et Nina

Tonalité kaki et vue sur la jungle

さらさらと風の音が聞こえるジャングル

Ugo

ユーゴ：4 ans / garçon
maman : Laurence Simoncini / co-fondatrice de la boutique Serendipity

さらさらと竹が風にゆれる景色が広がる
ユーゴのお部屋は、家中でいちばん眺めのいいところ。
凍りつきそうに寒さのきびしい真冬にも
一面の緑が見渡せるのは、とてもいい気持ち。
ユーゴのお部屋をいろどるシックなカーキとも
竹の緑色は相性がいい。
そして天井の梁や、ちいさな勉強机、ヒーターなどに
ママはメタリックなシルバーをプラス。
壁にずらりと並んだ白いフレームの中は
すべてクマさんのポートレート。
毎晩ユーゴは眠りにつく前に、このクマさんたちを眺めて
いろいろな表情をママにまねてみせる。
悲しい顔、おかしな顔、それから眠る顔……

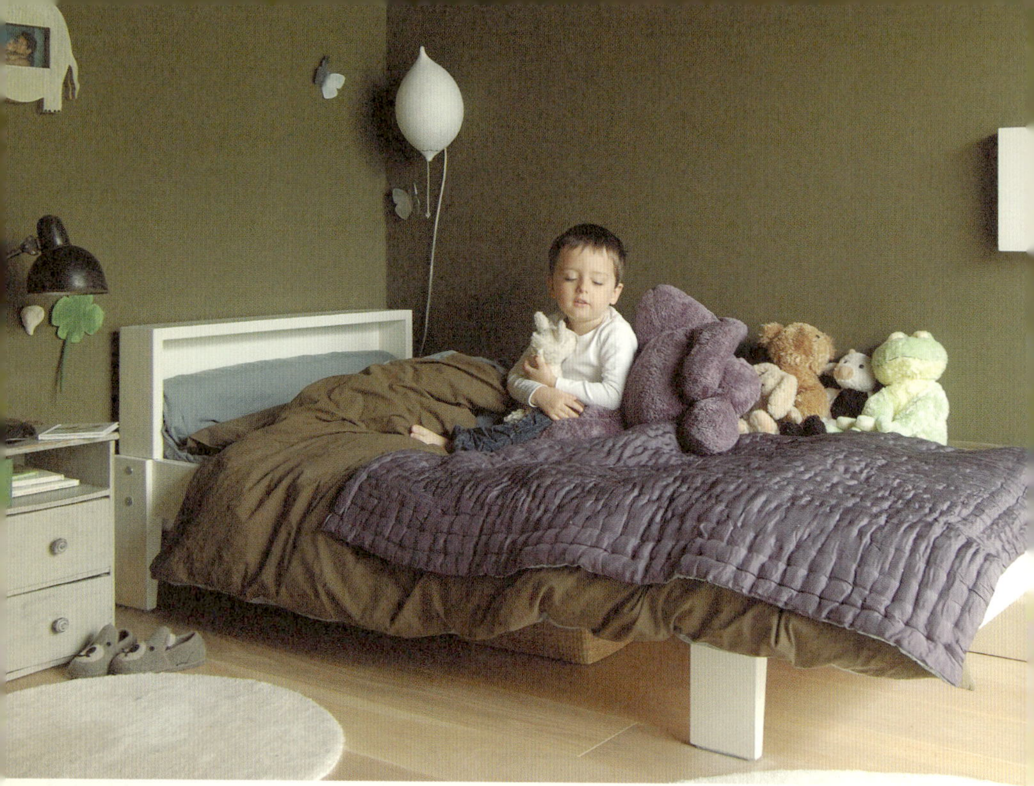

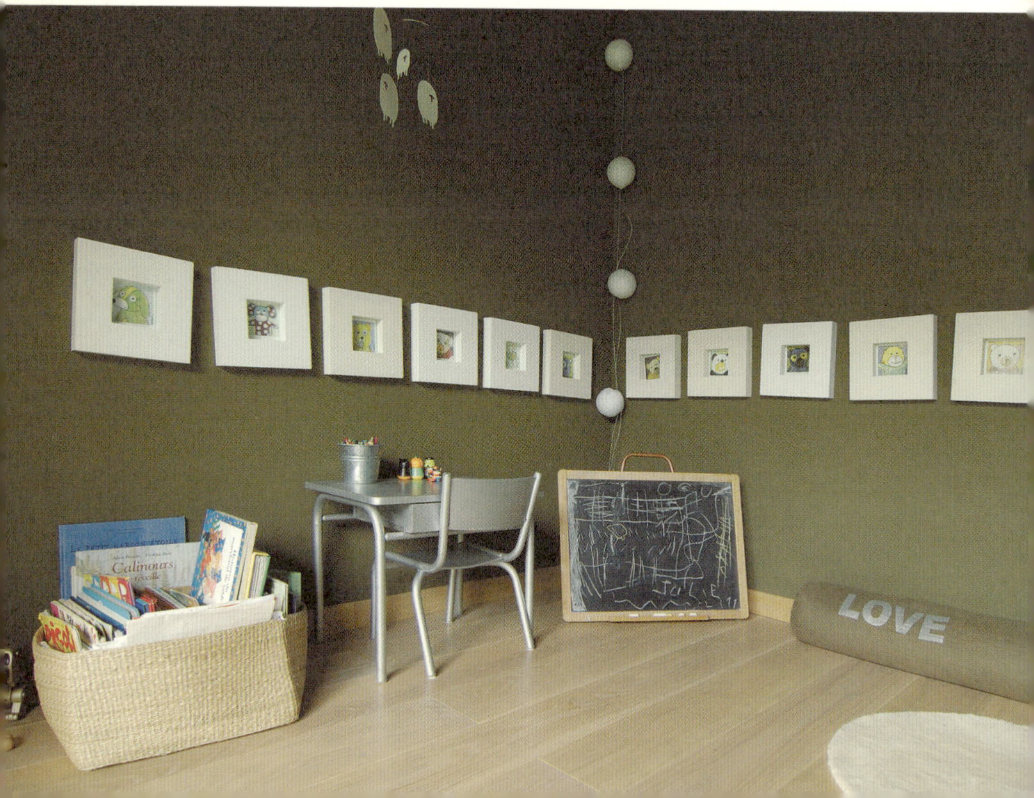
Calinours
LOVE

ママのローランスは、子どものときに自分のお部屋が持てなかったから、ユーゴのお部屋はママの夢の世界そのもの。男の子の部屋というとすぐに思いつくネイビーやブルーではなく、ユーゴのためにカーキをセレクトしたのは、大好きな自然を感じるし、繊細で豊かな色だから。シックなカーキ色にところどころシルバーも加わって、とてもモダンな子ども部屋。ママはユーゴとお姉ちゃんのレアのお部屋を完成させてまもなく、友だちのエリザと一緒に子どものためのインテリアショップ「セレンディピティ」をオープンさせた。そしていまではカウンセラーとして、子どもたちと一緒に夢のお部屋づくりができることを楽しんでいる。

Ugo

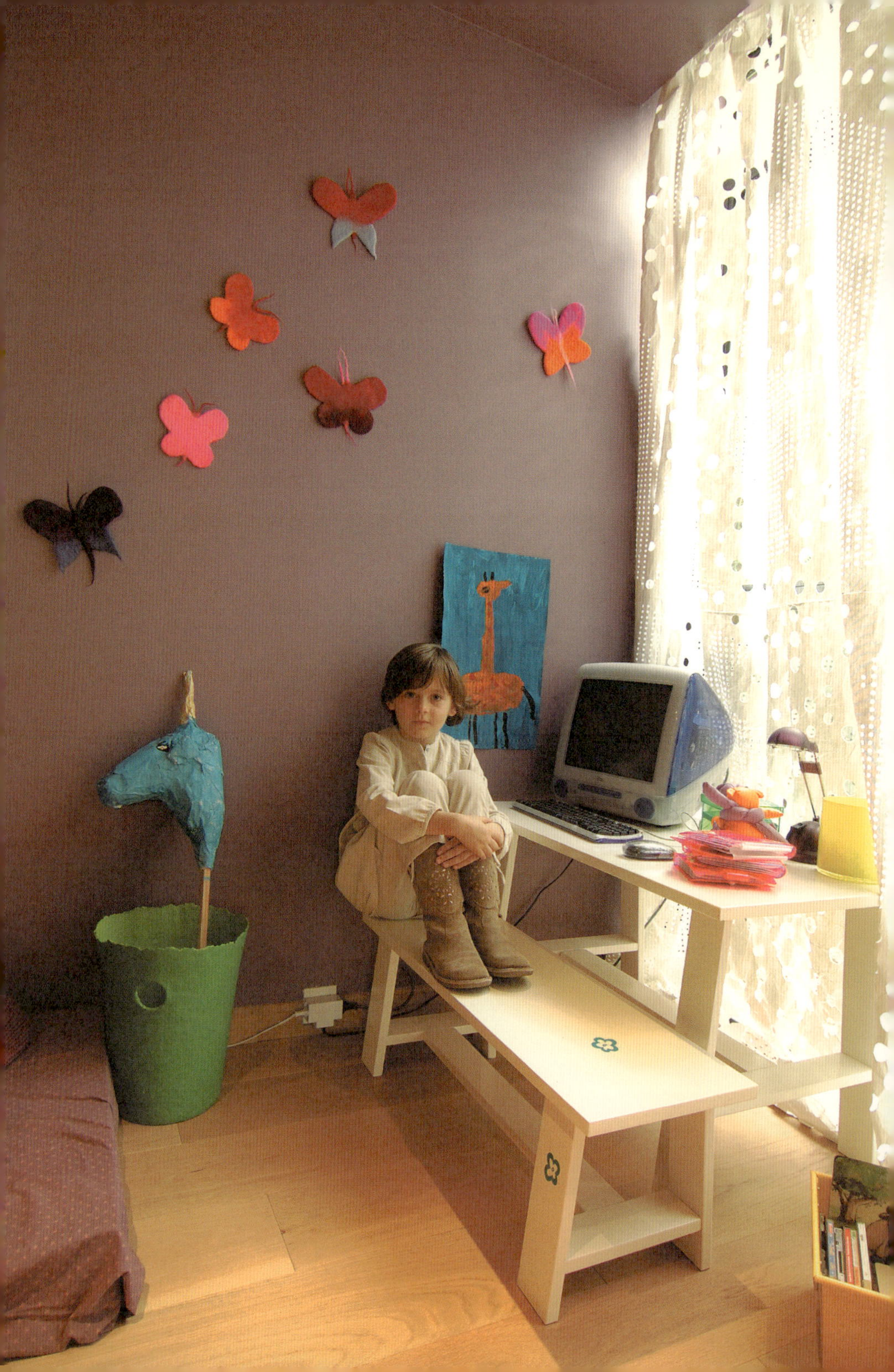

Couleur choc pour fille sans chi-chi

ちょうちょが遊ぶパープルのお庭

Léa

レア：8 ans / fille
maman : Laurence Simoncini / co-fondatrice de la boutique Serendipity

ちょっと背伸びをしたような
パープルにいろどられたレアのお部屋。
カーテンのまるい穴から水玉模様の光が差し込んでくる
壁にはフェルトのちょうちょがひらひら
天井にもゆらゆらゆれるちょうちょのモビール
その下のベッドには夜になると光るお花模様のシーツ
壁にひかれた青い羽かざりのラインと
水たまりのように広がるフェイクファーのマットの
深みのあるブルーがアクセント。
ころころ転がる丸いバスケットは
かわいがっているぬいぐるみたちのお家……
素敵なインテリアにうっとり、夢のよう

左上：シルバーにペイントしたラジエーターは、メタリックなオブジェに変身。レアは自分が描いた絵をマグネットでペタペタ自由に貼って、展示ボードに。右上：バスルームまでの廊下の壁には、水玉模様のように丸いミラーがアクセント。ユーモラスな表情のダチョウのオブジェがぐっと首を出して、にらめっこしているよう。

Léa

子どものためのインテリアショップ「セレンディピティ」をオープンさせたママ、ローランスは、子どもたちが楽しい世界にいられるようにと、アイデアを出し、レイアウトを考え、色や素材をセレクトしていくのが大好き。もともと書斎だった部屋と自転車置き場をあわせて、子ども部屋にリフォームするときにも、もちろんママはたくさんのアイデアを出した。そしておおきなロフトはレアとユーゴそれぞれの部屋に、ふたりのためのウォークインクローゼットとバスルームまで付いた、なんともうらやましい充実した子ども部屋に生まれ変わった。お洋服がたくさん収納できる大きなウォークインクローゼットは、レアとユーゴにとってはかくれんぼに最適の場所！

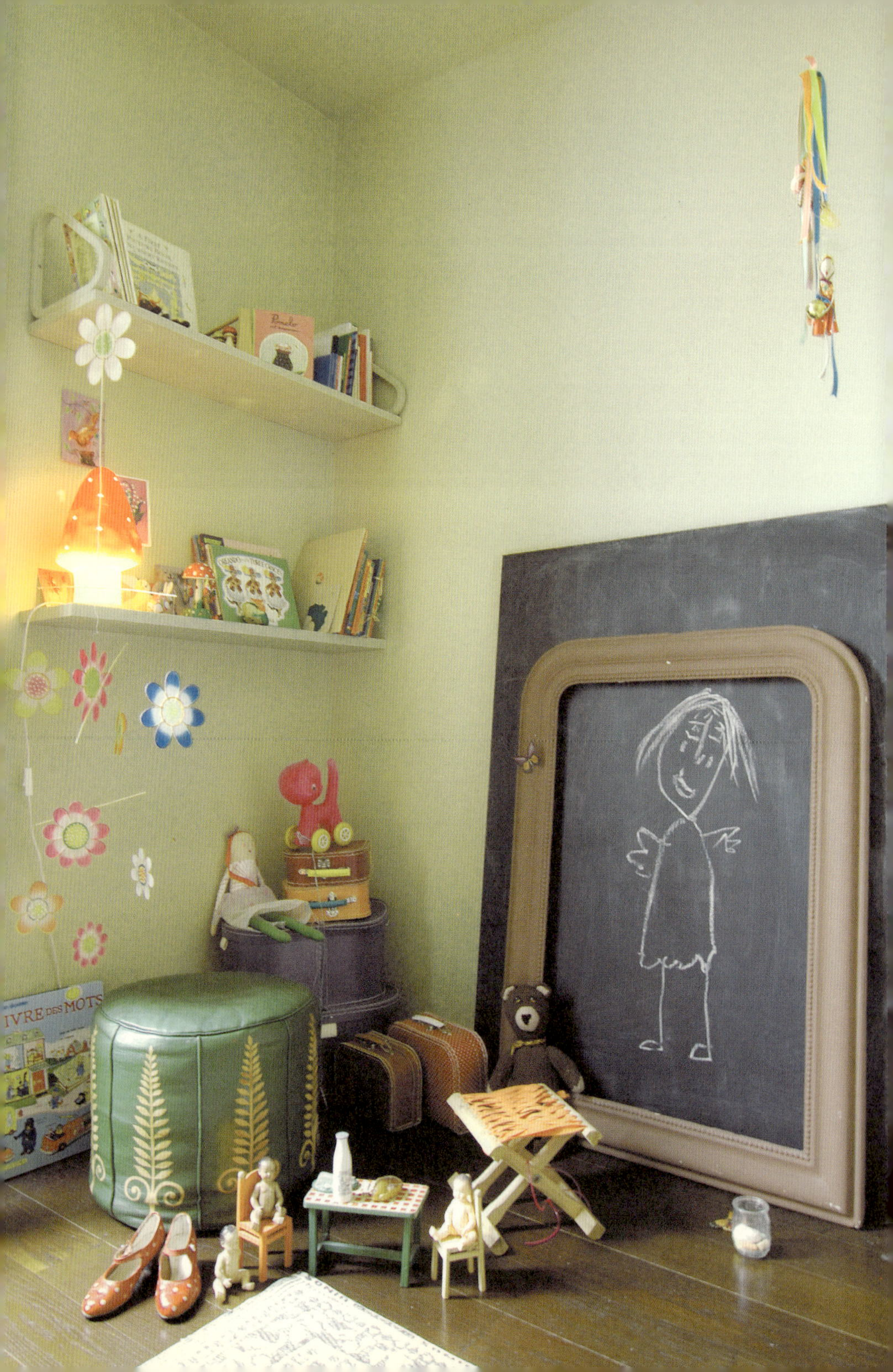
IVRE DES MOTS

Il était une fois, une chambre
comme un conte de fées...

妖精の国のふたりのプリンセス

Dinah et Maya

ディナ：2 ans / fille　マヤ：5 ans / fille
maman : Apolline / créatrice textile

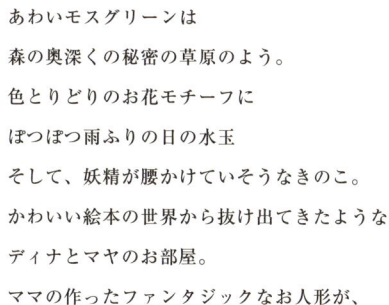

あわいモスグリーンは
森の奥深くの秘密の草原のよう。
色とりどりのお花モチーフに
ぽつぽつ雨ふりの日の水玉
そして、妖精が腰かけていそうなきのこ。
かわいい絵本の世界から抜け出てきたような
ディナとマヤのお部屋。
ママの作ったファンタジックなお人形が、
この不思議な世界に住む仲間たち。
ディナとマヤはこの国のプリンセス。
だから、いつもみんなのごはんやおやつ
カーニバルの準備におおいそがし。
そう、カーニバルはマヤとディナのいちばんの楽しみ
ふたりもお気に入りのコスチュームでおしゃれ

ちいさなロッキングチェアに座っているクマさんやおサルさんは、ディナのおばあちゃんからの手作りのおくりもの。あわいモスグリーンのベッドには、水玉のクッションとママが手作りしたお花モチーフのビロードクッションが置かれている。天使の羽は、ディナを見守る天使の忘れ物？

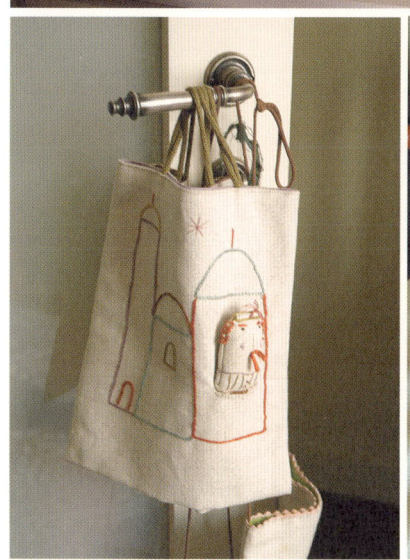

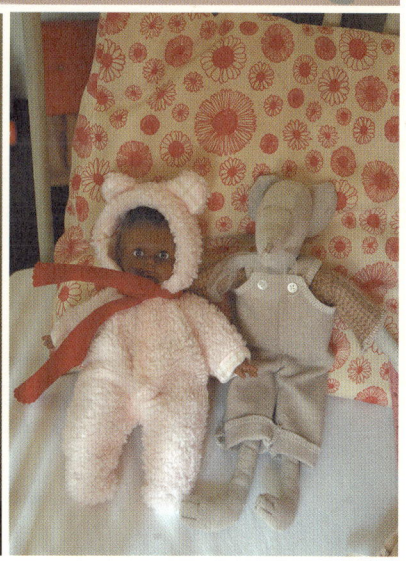

ディナとマヤのママ、アポリーヌはデザイナー。子ども服のショップ「ボンポワン」のために刺しゅうのデザインを考えたり、1点1点表情の違うオリジナルの人形を作ったりしている。もちろんディナとマヤの身の回りのものにも、アイデアいっぱいで器用なママのひと工夫が加えられている。そう、ディナとマヤにとっては、ママは魔法使いのような存在。ディナのお部屋にあるほとんどすべてのものにも、ママの魔法がかかっている。「イケア」で見つけたシンプルなチェストはペイントしなおして、取っ手をガラスのものに変えたり、壁にはお花のシールを咲かせたり。おもちゃのベビーカーも水玉模様が加えられて、ディナだけのオリジナルに。

Dinah

プルーン色に赤、水色、黄緑色のカラフルな水玉が散るチェストは、ママがちいさなころに使っていたもの。マヤが生まれたときにペイントしなおして、チェストも生まれ変わった。アフリカンなアイテムを扱う「CSAO」で見つけた、プラスチック素材のカーペットは、個性的な色使いだけれど、この部屋に不思議とマッチしている。

Maya

アパルトマンの長い廊下の突きあたりにあるドアを開けると、そこはまるで絵本の中。あわいモスグリーンのベースに、カラフルな雑貨やおもちゃたちが加えられて、それぞれがいまにも動き出しそう。そして飾り棚の上にある、たくさんの絵本はふたりの娘たちと一緒に、いつまでもファンタジックな世界にいたいと思っているママの楽しみにもなっている。このちいさな国のプリンセスになりたいというマヤにとって、ママの作り出してくれたお部屋は、いちばんのお気に入りの場所。3歳のお誕生日におばあちゃんがプレゼントしてくれたドールハウスを中心に、マヤのイマジネーションの世界がどこまでも広がっている。

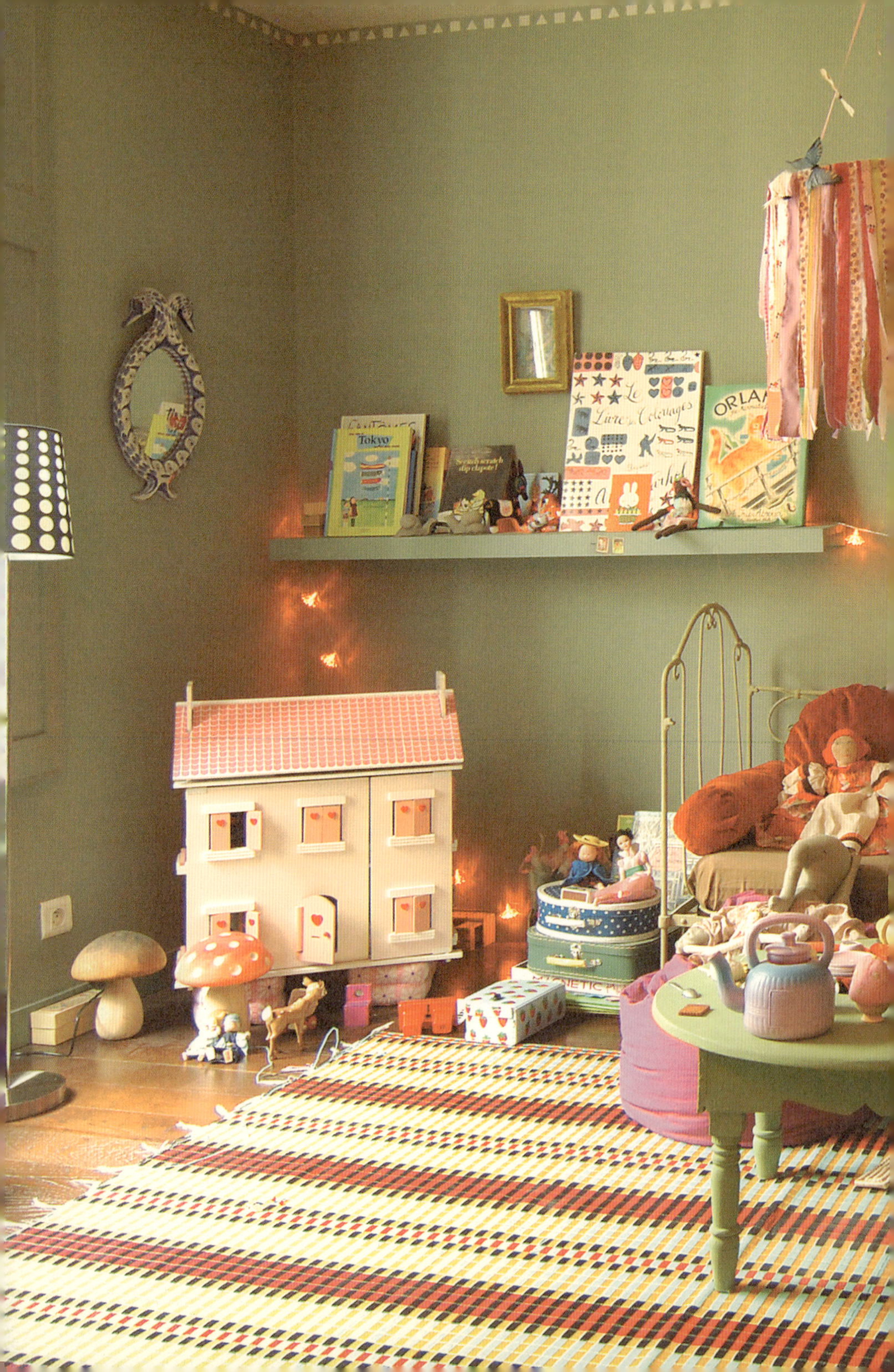
Tokyo

121

nos boutiques préférées

かわいいお部屋を見せてくれた、パリの子どもたちにお気に入りのブティックを教えてもらいました。おしゃれなお洋服や、かわいい雑貨におもちゃ、そしてみんなが好きな仮装用のコスチュームを扱うお店まで……。みんなが楽しそうにおしゃべりしてくれたお店には、なにか楽しい出会いがあるかも。

Bonton
82, rue de Grenelle 75007
tél : 01 44 39 09 24　www.bonton.fr

パリではじめて子どものためのセレクトショップとして生まれたのがこの「ボントン」。シックな子ども服のお店として人気のある「ボンポワン」のスタッフたちが新しいコンセプトで集めたアイテムは、お洋服におもちゃ、書籍、インテリアグッズとさまざま。細長いエントランスがいつもかわいくディスプレイされているのも楽しみ。

Lilli Bulle
3, rue de la Forge Royale 75011
tél : 01 43 73 61 63

バスティーユからほど近いところにあるブティック「リリ・ビュル」。ルイ14世時代の厩舎だった建物の中には、フレッシュなデザイナーたちの子ども服やシューズ、ここだけしかないアクセサリーなど、ポエティックでクリエイティブなコレクションがたくさん。

<<< Bonton

Firemaman
200, boulevard Pereire 75017
tél : 01 44 09 71 32

赤ちゃんが生まれる前、そしてママになったばかりの女性のために作られたショップ「ファイヤーママン」。シックなインテリアの店内は、モード、赤ちゃん、デザイン、ビューティと4つのコーナーに分かれているので、お目当てのものも探しやすい。

Petit Pan
7, rue de Prague 75012
tél : 01 43 41 88 88　www.panparis.com

66ページのエミールとテオ、パブロのパパとママのコレクションが揃うショップ「プチパン」。ブライトカラーで目にもあざやかな色使いの子ども服やキッチュなおもちゃ、カラフルなカイトなど、シノワズリ好きなパリジェンヌたちに大人気。

Les Touristes
17, rue des Blancs-Manteaux 75004
tél : 01 42 72 10 84

かわいいプリントのミニトランクやミャンマーからやってきた紙のお人形、そしてパリのアーティストの1点ものの作品など、ユニークな雑貨たちが集まる「レ・ツーリスト」。世界中から集められた楽しい雑貨でいっぱいの店内は、カラフルでハッピー。

Kid's gallery
8, avenue de Villars 75008
tél : 01 45 55 10 34

ミニマリズムで洗練されたデザインのオブジェやハイテク・グッズなどが並び、パリジェンヌたちの話題を集めるショップ「キッズ・ギャラリー」。子ども部屋の雰囲気を変えたいときに、なにか楽しいものが見つかりそうなお店。

Les Touristes >>>

Petit Pan >>>

ie >>>

Serendipity
17, rue des Quatre-Vents 75006
tél : 01 40 46 01 15

「自分たちが欲しいと思うものがなかなか見つからない」
という思いをきっかけに、P12のゾエのママ、ローランス
とP107のユーゴとレアのママ、エルザが中心になって生
まれた「セレンディピティ」。子ども部屋をイメージしな
がら、色や素材にこだわったアイテムが集められている。

Si tu veux
68, galerie Vivienne 75002
tél : 01 42 60 59 97

パレ・ロワイヤルの北にあるエレガントなアーケー
ド、ギャルリーヴィヴィエンヌの中に20年前からある、
おもちゃ屋さん「シ・チュ・ヴ」。ドアの脇に立って
いるクマの看板が目印。落ち着いたショップの中は、
知育玩具からポップなおもちゃまでバラエティ豊か。

ie
128, rue Vieille du Temple 75003
tél : 01 44 59 87 72

ハンドメイドのチュニックやワンピースなど、オリジナ
ルのエスニックアイテムが揃う「イエ」。劇場「シル
ク・ディヴェール・ブーグリオンヌ」近くにオープンし
た美しいショップ。子ども服の他に、旅先で見つけたお
もちゃや食器、テキスタイルなども。

sentou raspail
26, boulevard Raspail 75007
tél : 01 45 49 00 05   www.sentou.fr

サンジェルマン・デプレのほど近くにある、デザイナー
家具やオブジェがセレクトされたインテリアショップ
「セントゥー・ラスパイユ」。地下の一角は「セン
トゥー・リヴレリー」になっていて、インテリアのイン
スピレーションがふくらむアートブックが見つかる。

<<< Mille Fêtes

June
20, rue de la Corderie 75003
tél : 01 42 74 32 66

おばあちゃんの時代からフランスの家庭で使われて
いたようなアクセサリーや小物が見つかるショップ
「ジューン」。なつかしいけれども、あらためてみると
新鮮で、思わず手にしてみたくなるものばかり。

Chantelivre
13, rue de Sèvres 75007
tél :01 45 48 87 90

パリの左岸にある子ども向け書籍を専門に幅広いセレク
トで扱う本屋さん「シャントゥリーヴル」。大きな天
窓から太陽の光がさんさんとふりそそく店内で、気持
ちよくお気に入りの絵本探しができそう。

Oona L'ourse
72, rue Madame 75006
tél : 01 42 27 81 92

「オオナ・ルルス」は、「so sweet」というブランド
を立ち上げたジャンヌがデザインする、クオリティの
高いニットや洋服などが左岸のママたちに人気のショッ
プ。リュクサンブール公園に近いので、お散歩の帰
り道に寄ってみたい。

Mille Fêtes
60, rue du Cherche Midi 75006
tél : 01 42 22 09 43   www.millefetes.fr

お誕生日などのパーティやイベントごとには欠かせない、
インビテーションカードやデコレーション、ゲームなど
の品揃えが充実しているショップ「ミル・フェトゥ」。
パーティにおよばれしたように思わず時間がたつのも忘
れてしまう楽しい空間。

nos livres préférés

大好きな絵本を何度も何度も読みかえしているというパリの子どもたち。ぼろぼろになってしまって、2代め、3代めの絵本を手にしているという子もいました。ページをめくれば、物語の世界に引きこまれる絵本は、いつでもどこでも子どもたちのお友だち。そんなお気に入りの絵本を、パリの子どもたちに教えてもらいました。

Ester et Olympe p.6

Noé p.100

Émile, Théo et Pabro p.66

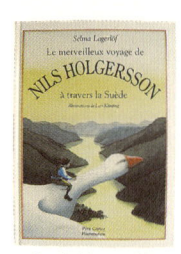

Joséphine p.92

Joséphine p.92

Chine p.32

Ella et Aaron p.38

Dinah et Maya p.114

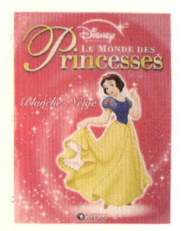

Maya p.28

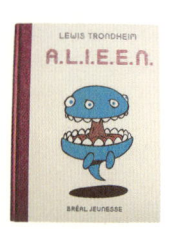

Noé p.76

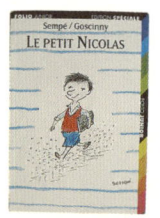

Loucie et Paul p.96

Mia p.85

Noé p.100

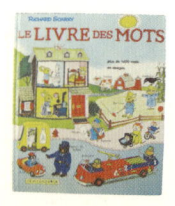

Dinah et Maya p.114

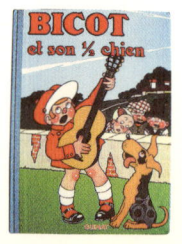

Alice, Louise et Jules p.56

Chine p.32

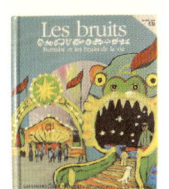

Félix p.82

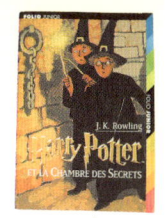

Noé p.76

Zoé p.12

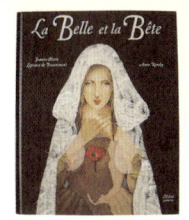

Nina et Alice p.103

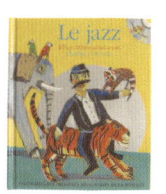

Félix p.82

Léa p.110

Émile, Théo et Pabro p.66

Violette et Fanny p.88

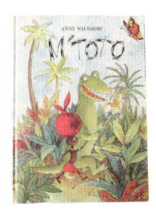

Rose p.17

Zéphir p.35

Barnabé et Gustave p.50

Calista et Stelio p.62

Maya p.28

Suzanne et Zélie p.79

Ella et Aaron p.38

Suzanne et Zélie p.79

Léa p.110

Noé p.76

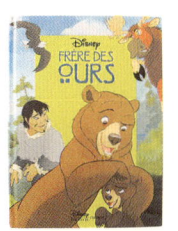

Calista et Stelio p.62

Félix p.82

toute l'equipe du livre

Jeu de Paume
Photographe : Hisashi Tokuyoshi
Design : Megumi Mori, Tomoko Osada, Kei Yamazaki
Textes : Coco Tashima
Réalisation : Pauline Ricard - André
Coordination : Fumie Shimoji
Éditeur : Coco Tashima
Art direction : Hisashi Tokuyoshi

Contact : info@paumes.com   www.paumes.com

Impression : Makoto Printing System
Distribution : Shufunotomosha

Nous tenons à remercier toutes les familles qui ont collaboré à ce livre.

Jeu de Paume
ジュウ・ドゥ・ポゥム

人気のデザインユニット「ツェツェ アソシエ」やファッションイラストレーター、キャルロッタなど、パリ在住アーティストたちの日本での活動をプロデュースする他、アーティストたちの作品を発表する場として、自由が丘と青山に「ギャラリー・ドゥー・ディマンシュ」を運営している。また著者としても、自分たちの出会ったアーティストたちのクリエイティビティを紹介する「クリエーションシリーズ」ほか11冊を刊行。代表作に『パリのフローリスト』『映画でお散歩パリガイド』など。詳しくはwww.paumes.comまで。

chambres d'enfants à paris
ようこそパリの子供部屋

2005年 9月30日 初版第 1刷発行

著者：ジュウ・ドゥ・ポゥム

発行人：徳吉 久、下地 文恵
発行所：有限会社ジュウ・ドゥ・ポゥム
　　　　〒150-0001 東京都渋谷区神宮前3-5-6
　　　　編集部 TEL／03-5413-5541
　　　　www.paumes.com

発売元：株式会社 主婦の友社
　　　　〒101-8911 東京都千代田区神田駿河台2-9
　　　　販売部 TEL／03-5280-7551

印刷製本：マコト印刷株式会社

もし、落丁、乱丁、その他不良の品がありましたら、お取りかえいたします。
お買い求めの書店か、主婦の友社資材刊行部（TEL／03-5280-7590）へお
申し出ください。

Photos © Hisashi Tokuyoshi
© Jeu de Paume s.a.r.l. 2005 Printed in Japan
ISBN4-07-248674-4

[R] 本書の全部または一部を無断で複写（コピー）することは、著作権法上での
例外を除き、禁じられています。本書からの複写を希望される場合は、日本
複写権センター（TEL／03-3401-2382）にご連絡ください。

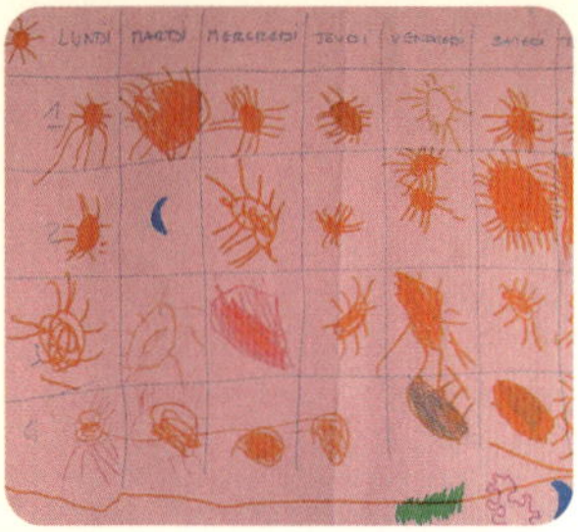
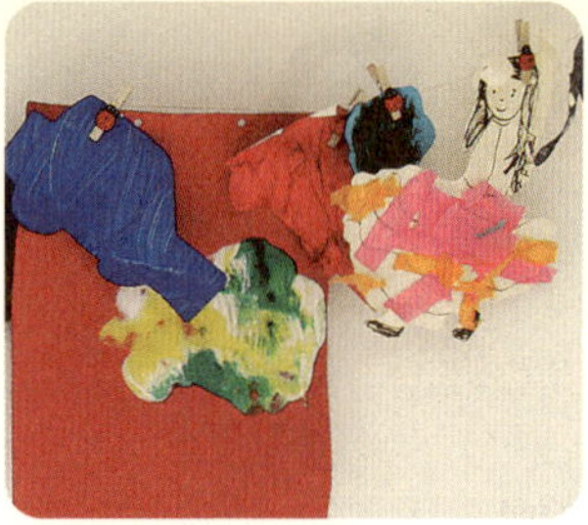
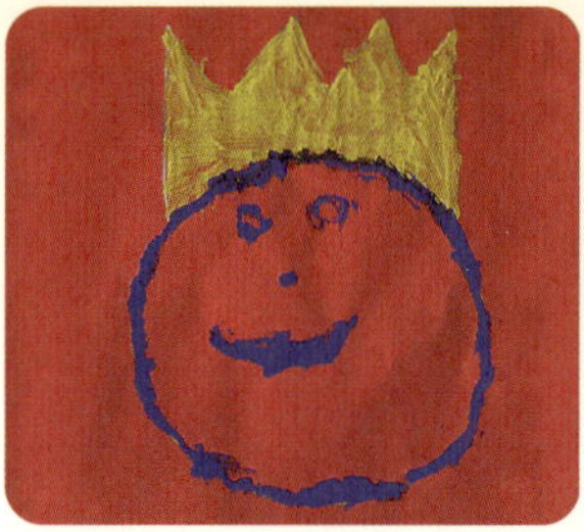
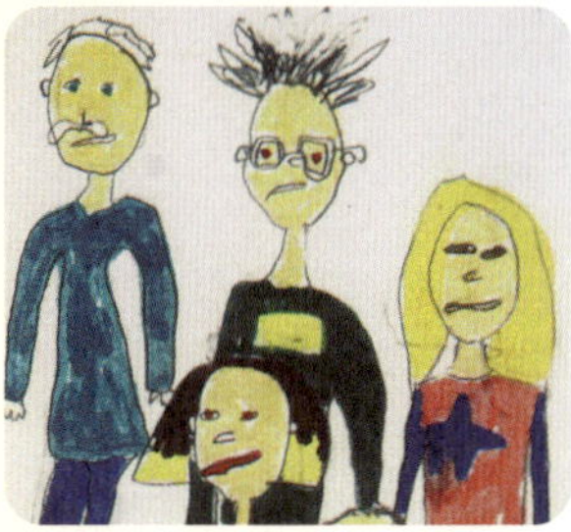
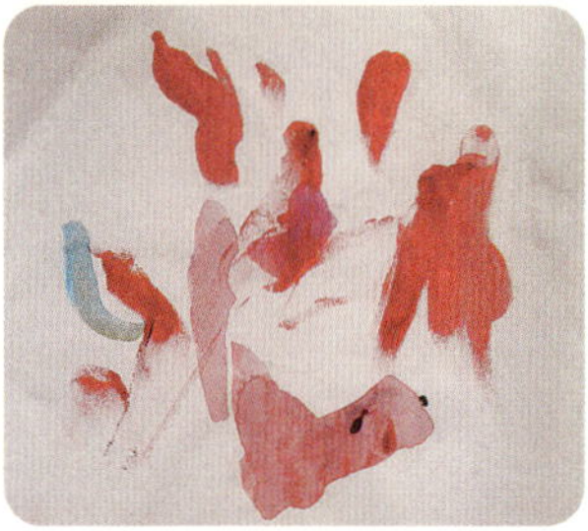
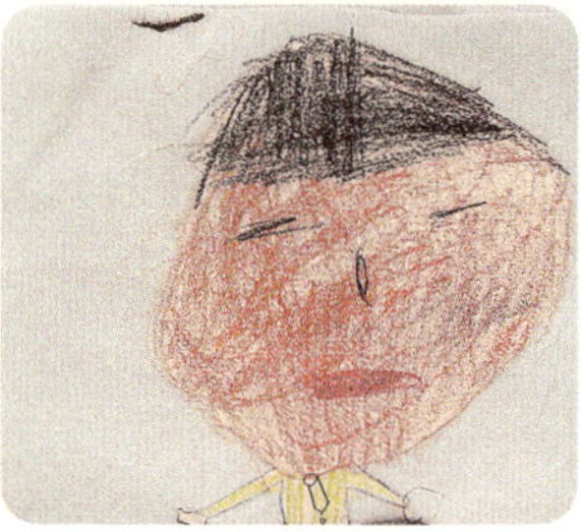
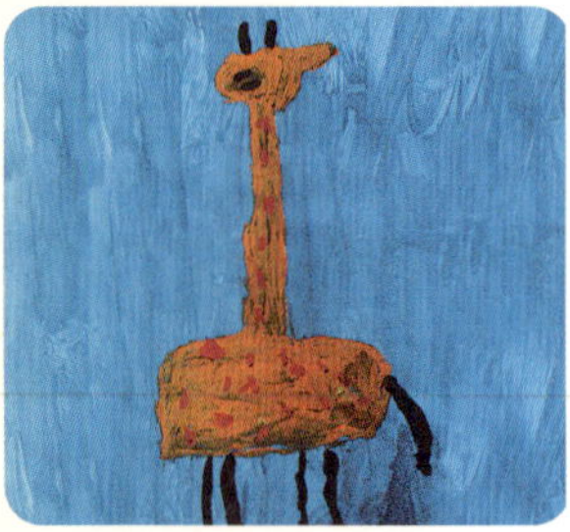
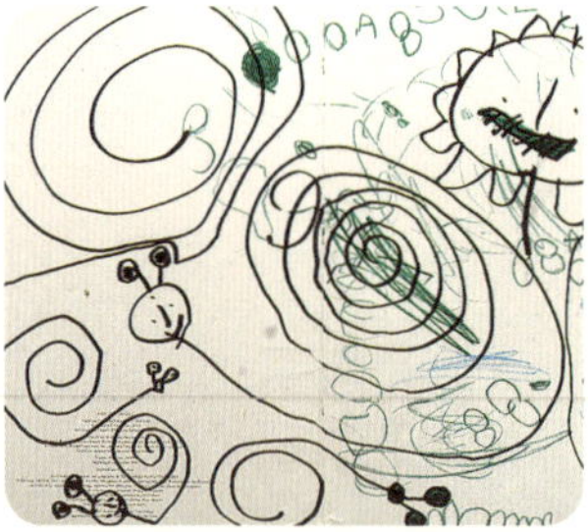
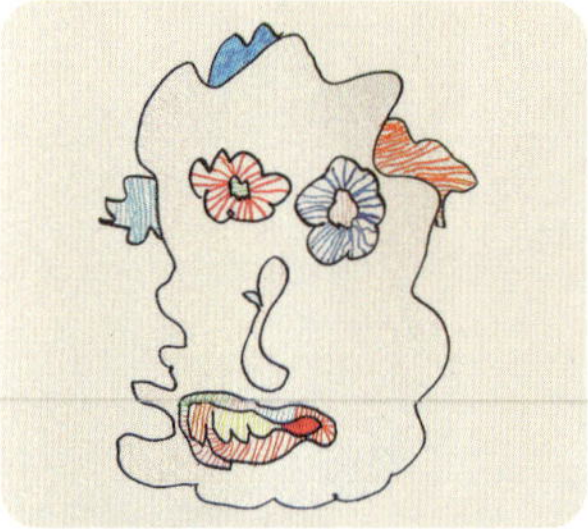
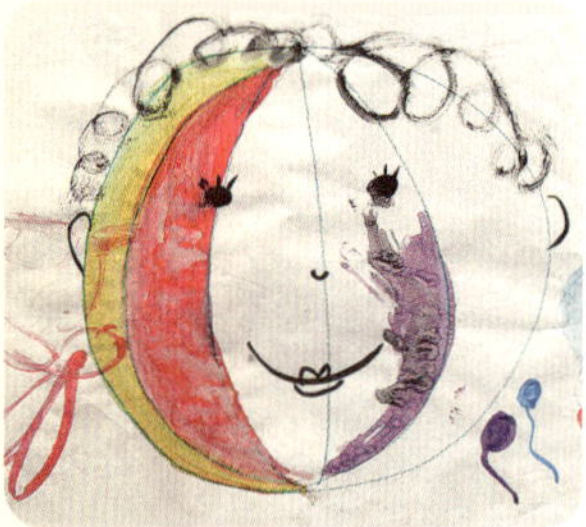
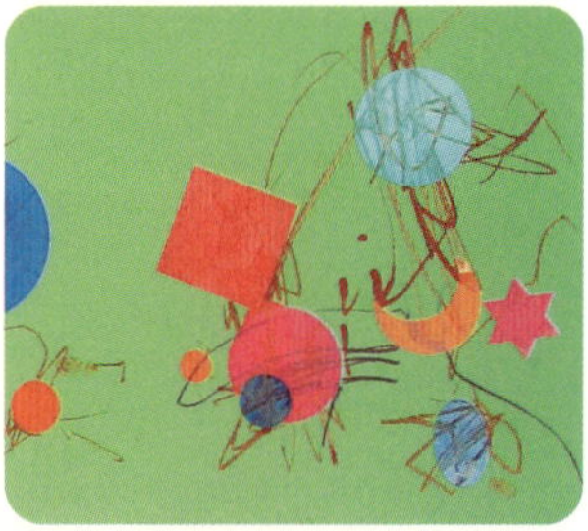
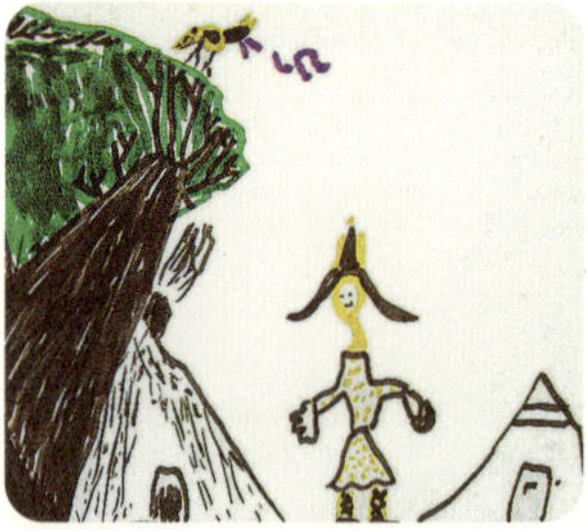
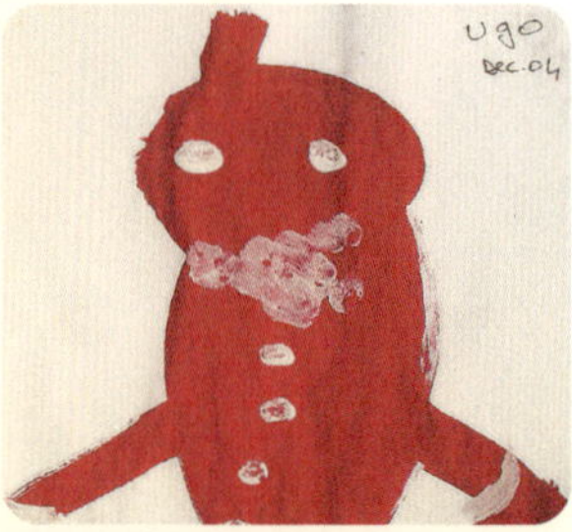
Ugo
DEC.04
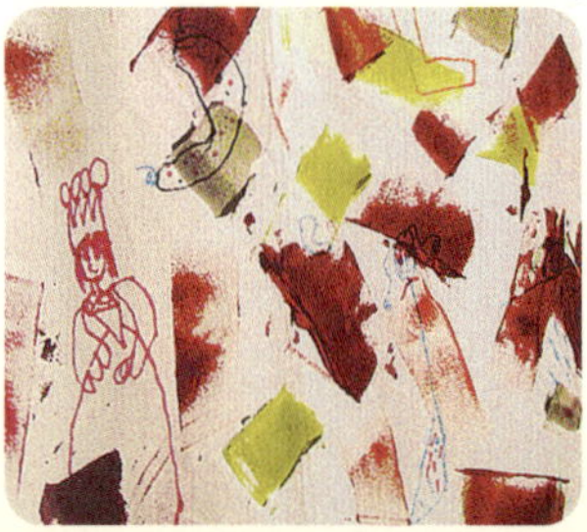
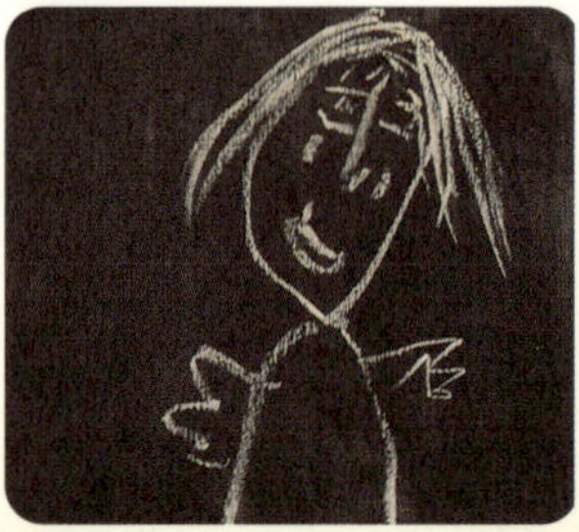